Acute Coronary Syndrome

CLASSIFICATION OF ACS

1. STEMI	2. NSTE - ACS: - NSTEMI - Unstable Angina

Meds	Exam	Recommendations
• **ASA** 162 – 350 mg next day 81 mg QD. • **P2Y Inhibitor** e.g: Plavix 300mg stat, next day 75mg qd or ti agrelor 180 stat then 90 mg bid. • **BB** within 24h except if CHF exacerbation • **ACE inhibitors** • **Heparin**: UFH bolus 60U/kg then Heparin drip 12 U /kg or enoxaparin 1mg/kg q12h.**PTT goal 50-75** • **Statin**: high dose (e.g atorvastatin 80 mg qd) • **Nitrates** (nitroglycerin) • **Morphine** (if pain is not alleviated by nitroglycerin)	• Ekg, repeat in 15 to 30 min if no dx or new sx. • EKG and trop q3-6h • **STEMI:** 1.- ST segment elevation > 1mm in >2 contguous limb or chest lead excepting leads V2 and V3. 2.- ST segment elevation > 2mm in men or > 1.5 mm in women. 3.- Posterior MI usually presents with ST depression >2mm in the anterior inferior or lateral leads. 4. - New LBBB	• Cardio consult • Avoid NSAID • Persitant CP in highrisk pt: >65,HLD, CVA, PAD, DM, smoker= PCA • Use TIMI score • Other causes of troponin elevation: CHF, cardiac procedure, chemotherapy, takotsubo S, myocardits, pericardiis, amyloidosis, endocardits, aorticstenosis, heart block , tachy and bradyarrhythmia hypertensive crisis, PE, renal failure , CKD, severe anemia, stroke, subarachnoid hemorrhage, cocaine, strenuous exercise.

NAME: _____

Admited for: _____

- [ ] DM2 HTN HLD
- [ ] CAD stent CABG
- [ ] Anemia
- [ ] AF xarelto warfarin eliquis PM
- [ ] Asthma COPD ltot
- [ ] BPH Prostate Ca
- [ ] BMI
- [ ] CHF EF ICD
- [ ] CKD ESRD tts wf PC AVF
- [ ] CVA residual weakness R L TIA
- [ ] Dementia Aleimer Parkinson
- [ ] Depression anxiety
- [ ] Hep C Hep B
- [ ] Hypothyroism
- [ ] HIV HART
- [ ] Ca
- [ ] RA
- [ ] Seizure
- [ ] MDRO
- [ ] Allergy: PNC, ASA,
- [ ] ETOH Drug Smoker

- [ ] Wound care
- [ ] Speach
- [ ] SW
- [ ] PT

- [ ] Dvt prophylaxis
- [ ] Hep drip

- [ ] Chest XRAy: PNA atelectasia
- [ ] EKG nsr rbbb Lbbb AFib
- [ ] Echo
- [ ] CTH
- [ ] CTA
- [ ] CTP
- [ ] CT Chest
- [ ] CT abdomen
- [ ] Cardiac Cath
- [ ] Carotid doppler
- [ ] MRI brain
- [ ] Trop   - [ ] BNP
- [ ] US dupplex
- [ ] US abdomen
- [ ] UA   - [ ] UCx   - [ ] Sputum cx
- [ ] BCx   - [ ] WCx
- [ ] UTOX
- [ ] ERCP
- [ ] MRCP

HTN

- [ ] Amlodipine
- [ ] Amiodarone
- [ ] Cardiazem
- [ ] Carvedilol
- [ ] Clonidine
- [ ] Entresto
- [ ] Lisinopril Enalapril
- [ ] HCTZ
- [ ] Hydralazine
- [ ] Labetolol
- [ ] Lasix bumex
- [ ] Lisinopril
- [ ] Losartan
- [ ] Metolazone
- [ ] Metop T
- [ ] Metop S
- [ ] Nifedipine
- [ ] Verapamil

THYROID

- [ ] Levothyroxine
- [ ] Methymazole
- [ ] Propylthiouracil

PULMONAR

- [ ] Albuterol
- [ ] Ipatropium
- [ ] Budesonine
- [ ] Levalbuterol
- [ ] Prednisone
- [ ] Solumedrol
- [ ] Dexamethasone

CARDIO

- [ ] Asa
- [ ] Eliquis
- [ ] Lipitor /simvastatin/
- [ ] Lovenox
- [ ] Plavix
- [ ] Ranexa
- [ ] Warfarin
- [ ] Xarelto

URO

- [ ] Finasteride
- [ ] Tamsulosin

ABX

- [ ] Acyclovir
- [ ] Augmentin
- [ ] Azitromycin
- [ ] Aztreonam
- [ ] Cefaclor
- [ ] Cefepime
- [ ] Cefdenir
- [ ] Ceftri xone
- [ ] Ciprofloxacine
- [ ] Clindamycin
- [ ] Daptomycin
- [ ] Doxycicline
- [ ] Levofloxacin
- [ ] Flagyl
- [ ] Fluconazol
- [ ] Meropenem
- [ ] Valacyclovir
- [ ] Vancomycin
- [ ] Zosyn
- [ ] Zivox

DM2

- [ ] Glargine
- [ ] Iss
- [ ] Lispro
- [ ] Calcium
- [ ] Fe
- [ ] FA B1 B12 C zinc
- [ ] Vit D
- [ ] MVT

NEURO

- [ ] Acid valproic
- [ ] Keppra
- [ ] Phenytoin

PAIN

- [ ] Gabapentin
- [ ] Hydromorphone
- [ ] Methadone
- [ ] Morphine
- [ ] Percocet /Oxycodone
- [ ] Toradol
- [ ] Tramadol
- [ ] Tylenol

GI

- [ ] Docusate / Senna
- [ ] Famotidine
- [ ] Lactulose
- [ ] Octeotride
- [ ] Propanolol
- [ ] Pantoprazole /ome/eso/famotidine
- [ ] Reglan Zofran
- [ ] Rifaximin
- [ ] Spironolactone

PSYCH

- [ ] Ati an
- [ ] Benadryl
- [ ] Carbidopa/Levodopa
- [ ] Citalopram
- [ ] Clonazepam
- [ ] Donezepil
- [ ] Librium
- [ ] Mirtazapine
- [ ] Quetiapine
- [ ] Sertraline Paroxetine
- [ ] Trazodone
- [ ] Xanax

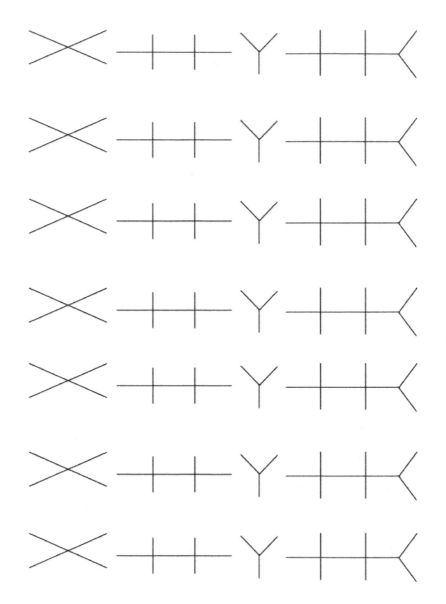

Name	Reason of admission
Neuro	Sedation: Precedex Fentanyl Propofol Versed
Cardio	Vasopressors: Levophed Phenylephrine Epinephrine Vasopresine Amiodarone: Cardizem: Nifedipine:
Respiratory	Ventlator: NC VM NR Hi flow Bipap Ventilator : / / / Trach: Muscle relaxant: Rocuronium Nimbex
Endo	Insulin drip:
GU/Nephrology	IV Fluids: NS LR D5 NS D5 LR D5 0.45% NS
Heme	FOLEY
ID	LINE: RIJ LIJ RF LF SHYLEY Midline PICC line
GI	FEEDINGS: NGT PEG
General measure	
Dvt Proph PPI proph Diet	

NAME: _____

Admited for: _____

_____

_____

☐ DM2 HTN HLD	☐ Chest XRAy: PNA atelectasia
☐ CAD stent CABG	☐ EKG nsr rbbb Lbbb AFib
☐ Anemia	☐ Echo
☐ AF xarelto warfarin eliquis PM	☐ CTH
☐ Asthma COPD ltot	☐ CTA
☐ BPH Prostate Ca	☐ CTP
☐ BMI	☐ CT Chest
☐ CHF EF ICD	☐ CT abdomen
☐ CKD ESRD tts wf PC AVF	☐ Cardiac Cath
☐ CVA residual weakness R L TIA	☐ Carotid doppler
☐ Dementia Aleimer Parkinson	☐ MRI brain
☐ Depression anxiety	☐ Trop ☐ BNP
☐ Hep C Hep B	☐ US dupplex
☐ Hypothyroism	☐ US abdomen
☐ HIV HART	☐ UA ☐ UCx ☐ Sputum cx
☐ Ca	☐ BCx ☐ WCx
☐ RA	☐ UTOX
☐ Seizure	☐ ERCP
☐ MDRO	☐ MRCP
☐ Allergy: PNC, ASA,	
☐ ETOH Drug Smoker	

ABX	PAIN
☐ Acyclovir	☐ Gabapentin
☐ Augmentin	☐ Hydromorphone
☐ Azitromycin	☐ Methadone
☐ Aztreonam	☐ Morphine
☐ Cefaclor	☐ Percocet /Oxycodone
☐ Cefepime	☐ Toradol
☐ Cefdenir	☐ Tramadol
☐ Ceftri xone	☐ Tylenol
☐ Ciprofloxacine	
☐ Clindamycin	GI
☐ Daptomycin	☐ Docusate / Senna
☐ Doxycicline	☐ Famotidine
☐ Levofloxacin	☐ Lactulose
☐ Flagyl	☐ Octeotride
☐ Fluconazol	☐ Propanolol
☐ Meropenem	☐ Pantoprazole /ome/eso/famotidine
☐ Valacyclovir	☐ Reglan Zofran
☐ Vancomycin	☐ Rifaximin
☐ Zosyn	☐ Spironolactone
☐ Zivox	

Wound care	☐ SW
☐ Speach	☐ PT

☐ Dvt prophylaxis
☐ Hep drip

HTN	PULMONAR
☐ Amlodipine	☐ Albuterol
☐ Amiodarone	☐ Ipatropium
☐ Cardiazem	☐ Budesonine
☐ Carvedilol	☐ Levalbuterol
☐ Clonidine	☐ Prednisone
☐ Entresto	☐ Solumedrol
☐ Lisinopril Enalapril	☐ Dexamethasone
☐ HCTZ	CARDIO
☐ Hydralazine	☐ Asa
☐ Labetolol	☐ Eliquis
☐ Lasix bumex	☐ Lipitor /simvastatin/
☐ Lisinopril	☐ Lovenox
☐ Losartan	☐ Plavix
☐ Metolazone	☐ Ranexa
☐ Metop T	☐ Warfarin
☐ Metop S	☐ Xarelto
☐ Nifedipine	
☐ Verapamil	URO

DM2	PSYCH
☐ Glargine	☐ Ati an
☐ Iss	☐ Benadryl
☐ Lispro	☐ Carbidopa/Levodopa
☐ Calcium	☐ Citalopram
☐ Fe	☐ Clonazepam
☐ FA B1 B12 C zinc	☐ Donezepil
☐ Vit D	☐ Librium
☐ MVT	☐ Mirtazapine
	☐ Quetiapine
NEURO	☐ Sertraline Paroxetine
☐ Acid valproic	☐ Trazodone
☐ Keppra	☐ Xanax
☐ Phenytoin	

THYROID	
☐ Levothyroxine	☐ Finasteride
☐ Methymazole	☐ Tamsulosin
☐ Propylthiouracil	

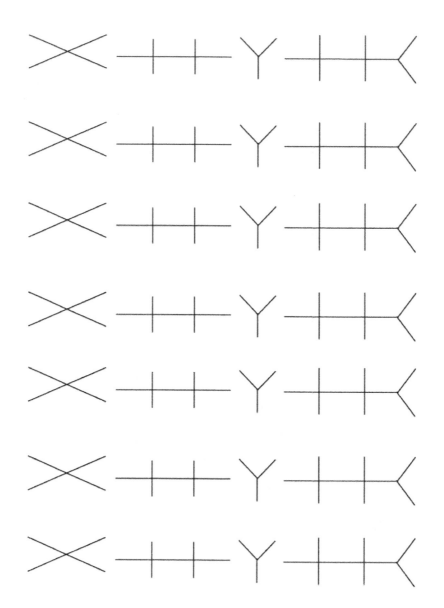

Name	Reason of admission
Neuro	Sedation: Precedex Fentanyl Propofol Versed
Cardio	Vasopressors: Levophed Phenylephrine Epinephrine Vasopresine Amiodarone: Cardizem: Nifedipine:
Respiratory	Ventlator: NC VM NR Hi flow Bipap Ventlator : / / / Trach: Muscle relaxant: Rocuronium Nimbex
Endo	Insulin drip:
GU/Nephrology	IV Fluids: NS LR D5 NS D5 LR D5 0.45% NS
Heme	FOLEY
ID	LINE: RIJ LIJ RF LF SHYLEY Midline PICC line
GI	FEEDINGS: NGT PEG
General measure	
Dvt Proph PPI proph Diet	

NAME: _____

Admitted for: _____

☐ DM2 HTN HLD	☐ Chest XRAy: PNA atelectasia
☐ CAD stent CABG	☐ EKG nsr rbbb Lbbb AFib
☐ Anemia	☐ Echo
☐ AF xarelto warfarin eliquis PM	☐ CTH
☐ Asthma COPD Itot	☐ CTA
☐ BPH Prostate Ca	☐ CTP
☐ BMI	☐ CT Chest
☐ CHF EF ICD	☐ CT abdomen
☐ CKD ESRD tts wf PC AVF	☐ Cardiac Cath
☐ CVA residual weakness R L TIA	☐ Carotid doppler
☐ Dementia Aleimer Parkinson	☐ MRI brain
☐ Depression anxiety	☐ Trop ☐ BNP
☐ Hep C Hep B	☐ US dupplex
☐ Hypothyroism	☐ US abdomen
☐ HIV HART	☐ UA ☐ UCx ☐ Sputum cx
☐ Ca	☐ BCx ☐ WCx
☐ RA	☐ UTOX
☐ Seizure	☐ ERCP
☐ MDRO	☐ MRCP
☐ Allergy: PNC, ASA,	
☐ ETOH Drug Smoker	

☐ Wound care	☐ SW
☐ Speach	☐ PT

☐ Dvt prophylaxis	
☐ Hep drip	

ABX		PAIN	
☐ Acyclovir	☐ Gabapentin
☐ Augmentin	☐ Hydromorphone
☐ Azitromycin	☐ Methadone
☐ Aztreonam	☐ Morphine
☐ Cefaclor	☐ Percocet /Oxycodone
☐ Cefepime	☐ Toradol
☐ Cefdenir	☐ Tramadol
☐ Ceftri xone	☐ Tylenol
☐ Ciprofloxacine	

HTN		PULMONAR	
☐ Amlodipine	☐ Albuterol
☐ Amiodarone	☐ Ipatropium
☐ Cardiazem	☐ Budesonine
☐ Carvedilol	☐ Levalbuterol
☐ Clonidine	☐ Prednisone
☐ Entresto	☐ Solumedrol
☐ Lisinopril Enalapril	☐ Dexamethasone
☐ HCTZ	
☐ Hydralazine	
☐ Labetolol	
☐ Lasix bumex	
☐ Lisinopril	
☐ Losartan	
☐ Metolazone	
☐ Metop T	
☐ Metop S	
☐ Nifedipine	
☐ Verapamil	

ABX (continued):
☐ Clindamycin
☐ Daptomycin
☐ Doxycicline
☐ Levofloxacin
☐ Flagyl
☐ Fluconazol
☐ Meropenem
☐ Valacyclovir
☐ Vancomycin
☐ Zosyn
☐ Zivox

GI	
☐ Docusate / Senna
☐ Famotidine
☐ Lactulose
☐ Octeotride
☐ Propanolol
☐ Pantoprazole /ome/eso/famotidine
☐ Reglan   Zofran
☐ Rifaximin
☐ Spironolactone

CARDIO	
☐ Asa
☐ Eliquis
☐ Lipitor /simvastatin/
☐ Lovenox
☐ Plavix
☐ Ranexa
☐ Warfarin
☐ Xarelto

DM2	
☐ Glargine
☐ Iss
☐ Lispro
☐ Calcium
☐ Fe
☐ FA B1 B12 C zinc
☐ Vit D
☐ MVT

PSYCH	
☐ Ati an
☐ Benadryl
☐ Carbidopa/Levodopa
☐ Citalpram
☐ Clonazepam
☐ Donezepil
☐ Librium
☐ Mirtazapine
☐ Quetiapine
☐ Sertraline Paroxetine
☐ Trazodone
☐ Xanax

URO	
☐ Finasteride
☐ Tamsulosin

THYROID	
☐ Levothyroxine
☐ Methymazole
☐ Propylthiouracil

NEURO	
☐ Acid valproic
☐ Keppra
☐ Phenytoin

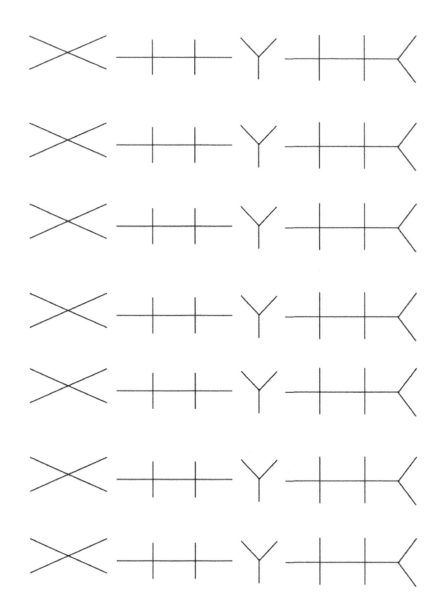

Name	Reason of admission
Neuro	Sedation: Precedex Fentanyl Propofol Versed
Cardio	Vasopressors: Levophed Phenylephrine Epinephrine Vasopresine Amiodarone: Cardizem: Nifedipine:
Respiratory	Ventlator: NC VM NR Hi flow Bipap Ventlator : / / / Trach: Muscle relaxant: Rocuronium Nimbex
Endo	Insulin drip:
GU/Nephrology	IV Fluids: NS LR D5 NS D5 LR D5 0.45% NS
Heme	FOLEY
ID	LINE: RIJ LIJ RF LF SHYLEY Midline PICC line
GI	FEEDINGS: NGT PEG
General measure	
Dvt Proph PPI proph Diet	

NAME: _____

Admited for: _____

_____

_____

☐ DM2 HTN HLD	☐ Chest XRAy: PNA atelectasia
☐ CAD stent CABG	☐ EKG nsr rbbb Lbbb AFib
☐ Anemia	☐ Echo
☐ AF xarelto warfarin eliquis PM	☐ CTH
☐ Asthma COPD ltot	☐ CTA
☐ BPH Prostate Ca	☐ CTP
☐ BMI	☐ CT Chest
☐ CHF EF ICD	☐ CT abdomen
☐ CKD ESRD tts wf PC AVF	☐ Cardiac Cath
☐ CVA residual weakness R L TIA	☐ Carotid doppler
☐ Dementia Aleimer Parkinson	☐ MRI brain
☐ Depression anxiety	☐ Trop ☐ BNP
☐ Hep C Hep B	☐ US dupplex
☐ Hypothyroism	☐ US abdomen
☐ HIV HART	☐ UA ☐ UCx ☐ Sputum cx
☐ Ca	☐ BCx ☐ WCx
☐ RA	☐ UTOX
☐ Seizure	☐ ERCP
☐ MDRO	☐ MRCP
☐ Allergy: PNC, ASA,	

☐ ETOH Drug Smoker	

☐ Wound care ☐ SW	
☐ Speach ☐ PT	

☐ Dvt prophylaxis	
☐ Hep drip	

ABX	PAIN
☐ Acyclovir	☐ Gabapentin
☐ Augmentin	☐ Hydromorphone
☐ Azitromycin	☐ Methadone
☐ Aztreonam	☐ Morphine
☐ Cefaclor	☐ Percocet /Oxycodone
☐ Cefepime	☐ Toradol
☐ Cefdenir	☐ Tramadol
☐ Ceftri xone	☐ Tylenol
☐ Ciprofloxacine	
☐ Clindamycin	GI
☐ Daptomycin	
☐ Doxycicline	☐ Docusate / Senna
☐ Levofloxacin	☐ Famotidine
☐ Flagyl	☐ Lactulose
☐ Fluconazol	☐ Octeotride
☐ Meropenem	☐ Propanolol
☐ Valacyclovir	☐ Pantoprazole /ome/eso/famotidine
☐ Vancomycin	☐ Reglan Zofran
☐ Zosyn	☐ Rifaximin
☐ Zivox	☐ Spironolactone

HTN	PULMONAR
☐ Amlodipine	☐ Albuterol
☐ Amiodarone	☐ Ipatropium
☐ Cardiazem	☐ Budesonine
☐ Carvedilol	☐ Levalbuterol
☐ Clonidine	☐ Prednisone
☐ Entresto	☐ Solumedrol
☐ Lisinopril Enalapril	☐ Dexamethasone
☐ HCTZ	
☐ Hydralazine	CARDIO
☐ Labetolol	☐ Asa
☐ Lasix bumex	☐ Eliquis
☐ Lisinopril	☐ Lipitor /simvastatin/
☐ Losartan	☐ Lovenox
☐ Metolazone	☐ Plavix
☐ Metop T	☐ Ranexa
☐ Metop S	☐ Warfarin
☐ Nifedipine	☐ Xarelto
☐ Verapamil	

DM2	
☐ Glargine	
☐ Iss	
☐ Lispro	PSYCH
☐ Calcium	☐ Ati an
☐ Fe	☐ Benadryl
☐ FA B1 B12 C zinc	☐ Carbidopa/Levodopa
☐ Vit D	☐ Citalopram
☐ MVT	☐ Clonazepam
	☐ Donezepil
NEURO	☐ Librium
☐ Acid valproic	☐ Mirtazapine
☐ Keppra	☐ Quetiapine
☐ Phenytoin	☐ Sertraline Paroxetine
	☐ Trazodone
	☐ Xanax

THYROID	URO
☐ Levothyroxine	☐ Finasteride
☐ Methymazole	☐ Tamsulosin
☐ Propylthiouracil	

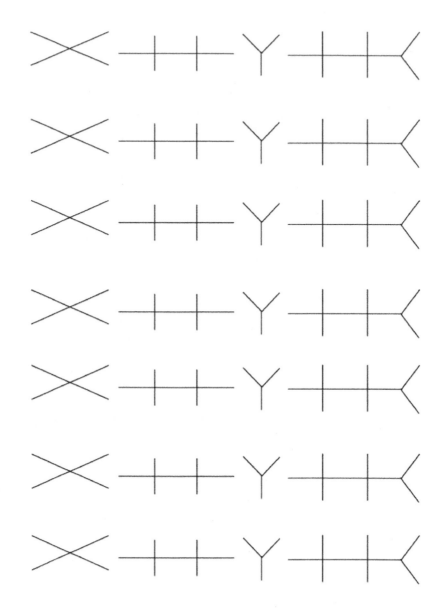

Name	Reason of admission
Neuro	Sedation: Precedex Fentanyl Propofol Versed
Cardio	Vasopressors: Levophed Phenylephrine Epinephrine Vasopresine Amiodarone: Cardizem: Nifedipine:
Respiratory	Ventlator: NC VM NR Hi flow Bipap Ventilator : / / / Trach: Muscle relaxant: Rocuronium Nimbex
Endo	Insulin drip:
GU/Nephrology	IV Fluids: NS LR D5 NS D5 LR D5 0.45% NS
Heme	FOLEY
ID	LINE: RIJ LIJ RF LF SHYLEY Midline PICC line
GI	FEEDINGS: NGT PEG
General measure	
Dvt Proph PPI proph Diet	

NAME: _____

Admited for: _____

_____

_____

☐ DM2 HTN HLD	☐ Chest XRAy: PNA atelectasia
☐ CAD stent CABG	☐ EKG nsr rbbb Lbbb AFib
☐ Anemia	☐ Echo
☐ AF xarelto warfarin eliquis PM	☐ CTH
☐ Asthma COPD Itot	☐ CTA
☐ BPH Prostate Ca	☐ CTP
☐ BMI	☐ CT Chest
☐ CHF EF ICD	☐ CT abdomen
☐ CKD ESRD tts wf PC AVF	☐ Cardiac Cath
☐ CVA residual weakness R L TIA	☐ Carotid doppler
☐ Dementia Aleimer Parkinson	☐ MRI brain
☐ Depression anxiety	☐ Trop ☐ BNP
☐ Hep C Hep B	☐ US dupplex
☐ Hypothyroism	☐ US abdomen
☐ HIV HART	☐ UA ☐ UCx ☐ Sputum cx
☐ Ca	☐ BCx ☐ WCx
☐ RA	☐ UTOX
☐ Seizure	☐ ERCP
☐ MDRO	☐ MRCP
☐ Allergy: PNC, ASA,	

☐ ETOH Drug Smoker

ABX	PAIN

☐ Wound care   ☐ SW
☐ Speach   ☐ PT

☐ Dvt prophylaxis
☐ Hep drip

ABX	PAIN
☐ Acyclovir	☐ Gabapentin
☐ Augmentin	☐ Hydromorphone
☐ Azitromycin	☐ Methadone
☐ Aztreonam	☐ Morphine
☐ Cefaclor	☐ Percocet /Oxycodone
☐ Cefepime	☐ Toradol
☐ Cefdenir	☐ Tramadol
☐ Ceftri xone	☐ Tylenol
☐ Ciprofloxacine	
☐ Clindamycin	GI
☐ Daptomycin	
☐ Doxycicline	☐ Docusate / Senna
☐ Levofloxacin	☐ Famotidine
☐ Flagyl	☐ Lactulose
☐ Fluconazol	☐ Octeotride
☐ Meropenem	☐ Propanolol
☐ Valacyclovir	☐ Pantoprazole /ome/eso/famotidine
☐ Vancomycin	☐ Reglan Zofran
☐ Zosyn	☐ Rifaximin
☐ Zivox	☐ Spironolactone

HTN	PULMONAR
☐ Amlodipine	☐ Albuterol
☐ Amiodarone	☐ Ipatropium
☐ Cardiazem	☐ Budesonine
☐ Carvedilol	☐ Levalbuterol
☐ Clonidine	☐ Prednisone
☐ Entresto	☐ Solumedrol
☐ Lisinopril Enalapril	☐ Dexamethasone
☐ HCTZ	
☐ Hydralazine	CARDIO
☐ Labetolol	☐ Asa
☐ Lasix bumex	☐ Eliquis
☐ Lisinopril	☐ Lipitor /simvastatin/
☐ Losartan	☐ Lovenox
☐ Metolazone	☐ Plavix
☐ Metop T	☐ Ranexa
☐ Metop S	☐ Warfarin
☐ Nifedipine	☐ Xarelto
☐ Verapamil	URO

DM2	PSYCH
☐ Glargine	☐ Ati an
☐ Iss	☐ Benadryl
☐ Lispro	☐ Carbidopa/Levodopa
☐ Calcium	☐ Citalopram
☐ Fe	☐ Clonazepam
☐ FA B1 B12 C zinc	☐ Donezepil
☐ Vit D	☐ Librium
☐ MVT	☐ Mirtazapine
NEURO	☐ Quetiapine
☐ Acid valproic	☐ Sertraline Paroxetine
☐ Keppra	☐ Trazodone
☐ Phenytoin	☐ Xanax

THYROID	URO
☐ Levothyroxine	☐ Finasteride
☐ Methymazole	☐ Tamsulosin
☐ Propylthiouracil	

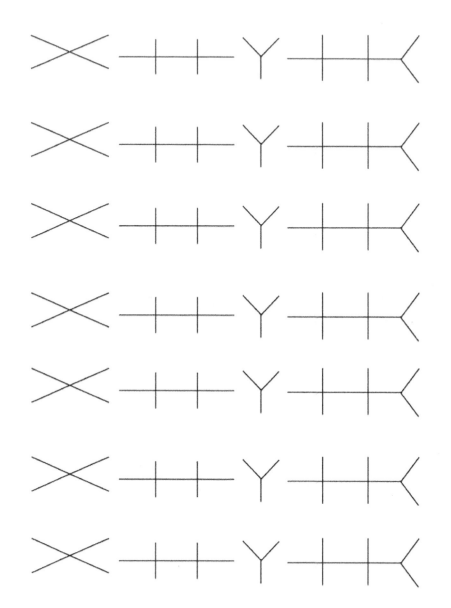

Name	Reason of admission
Neuro	Sedation: Precedex Fentanyl Propofol Versed
Cardio	Vasopressors: Levophed Phenylephrine Epinephrine Vasopresine Amiodarone: Cardizem: Nifedipine:
Respiratory	Ventilator: NC VM NR Hi flow Bipap Ventilator : / / / Trach: Muscle relaxant: Rocuronium Nimbex
Endo	Insulin drip:
GU/Nephrology	IV Fluids: NS LR D5 NS D5 LR D5 0.45% NS
Heme	FOLEY
ID	LINE: RIJ LIJ RF LF SHYLEY Midline PICC line
GI	FEEDINGS: NGT PEG
General measure	
Dvt Proph PPI proph Diet	

NAME: _____

Admited for: _____

_____

_____

☐ DM2 HTN HLD	☐ Chest XRAy: PNA atelectasia
☐ CAD stent CABG	☐ EKG nsr rbbb Lbbb AFib
☐ Anemia	☐ Echo
☐ AF xarelto warfarin eliquis PM	☐ CTH
☐ Asthma COPD ltot	☐ CTA
☐ BPH Prostate Ca	☐ CTP
☐ BMI	☐ CT Chest
☐ CHF EF ICD	☐ CT abdomen
☐ CKD ESRD tts wf PC AVF	☐ Cardiac Cath
☐ CVA residual weakness R L TIA	☐ Carotid doppler
☐ Dementia Aleimer Parkinson	☐ MRI brain
☐ Depression anxiety	☐ Trop ☐ BNP
☐ Hep C Hep B	☐ US dupplex
☐ Hypothyroism	☐ US abdomen
☐ HIV HART	☐ UA ☐ UCx ☐ Sputum cx
☐ Ca	☐ BCx ☐ WCx
☐ RA	☐ UTOX
☐ Seizure	☐ ERCP
☐ MDRO	☐ MRCP
☐ Allergy: PNC, ASA,	

☐ ETOH   Drug   Smoker

☐ Wound care	☐ SW
☐ Speach	☐ PT

☐ Dvt prophylaxis
☐ Hep drip

HTN	PULMONAR	ABX	PAIN
		☐ Acyclovir	☐ Gabapentin
☐ Amlodipine	☐ Albuterol	☐ Augmentin	☐ Hydromorphone
☐ Amiodarone	☐ Ipatropium	☐ Azitromycin	☐ Methadone
☐ Cardiazem	☐ Budesonine	☐ Aztreonam	☐ Morphine
☐ Carvedilol	☐ Levalbuterol	☐ Cefaclor	☐ Percocet /Oxycodone
☐ Clonidine	☐ Prednisone	☐ Cefepime	☐ Toradol
☐ Entresto	☐ Solumedrol	☐ Cefdenir	☐ Tramadol
☐ Lisinopril Enalapril	☐ Dexamethasone	☐ Ceftri xone	☐ Tylenol
☐ HCTZ		☐ Ciprofloxacine	
☐ Hydralazine	CARDIO	☐ Clindamycin	GI
☐ Labetolol	☐ Asa	☐ Daptomycin	☐ Docusate / Senna
☐ Lasix bumex	☐ Eliquis	☐ Doxycicline	☐ Famotidine
☐ Lisinopril	☐ Lipitor /simvastatin/	☐ Levofloxacin	☐ Lactulose
☐ Losartan	☐ Lovenox	☐ Flagyl	☐ Octeotride
☐ Metolazone	☐ Plavix	☐ Fluconazol	☐ Propanolol
☐ Metop T	☐ Ranexa	☐ Meropenem	☐ Pantoprazole /ome/eso/famotidine
☐ Metop S	☐ Warfarin	☐ Valacyclovir	☐ Reglan Zofran
☐ Nifedipine	☐ Xarelto	☐ Vancomycin	☐ Rifaximin
☐ Verapamil		☐ Zosyn	☐ Spironolactone
	URO	☐ Zivox	
THYROID	☐ Finasteride	DM2	PSYCH
☐ Levothyroxine	☐ Tamsulosin	☐ Glargine	☐ Ati an
☐ Methymazole		☐ Iss	☐ Benadryl
☐ Propylthiouracil	NEURO	☐ Lispro	☐ Carbidopa/Levodopa
	☐ Acid valproic	☐ Calcium	☐ Citalopram
	☐ Keppra	☐ Fe	☐ Clonazepam
	☐ Phenytoin	☐ FA B1 B12 C zinc	☐ Donezepil
		☐ Vit D	☐ Librium
		☐ MVT	☐ Mirtazapine
			☐ Quetiapine
			☐ Sertraline Paroxetine
			☐ Trazodone
			☐ Xanax

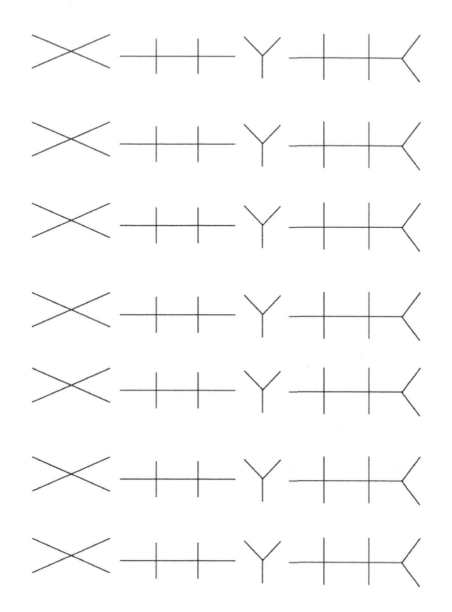

Name	Reason of admission
Neuro	Sedation: Precedex Fentanyl Propofol Versed
Cardio	Vasopressors: Levophed Phenylephrine Epinephrine Vasopresine Amiodarone: Cardizem: Nifedipine:
Respiratory	Ventlator: NC VM NR Hi flow Bipap Ventlator : / / / Trach: Muscle relaxant: Rocuronium Nimbex
Endo	Insulin drip:
GU/Nephrology	IV Fluids: NS LR D5 NS D5 LR D5 0.45% NS
Heme	FOLEY
ID	LINE: RIJ LIJ RF LF SHYLEY Midline PICC line
GI	FEEDINGS: NGT PEG
General measure	
Dvt Proph PPI proph Diet	

NAME: _____

Admited for: _____

- [ ] DM2 HTN   HLD
- [ ] CAD stent   CABG
- [ ] Anemia
- [ ] AF xarelto   warfarin   eliquis   PM
- [ ] Asthma   COPD   ltot
- [ ] BPH   Prostate Ca
- [ ] BMI
- [ ] CHF   EF   ICD
- [ ] CKD ESRD tts   wf PC   AVF
- [ ] CVA residual weakness R L   TIA
- [ ] Dementia Aleimer Parkinson
- [ ] Depression anxiety
- [ ] Hep C   Hep B
- [ ] Hypothyroism
- [ ] HIV HART
- [ ] Ca
- [ ] RA
- [ ] Seizure
- [ ] MDRO
- [ ] Allergy: PNC, ASA,
- [ ] ETOH   Drug   Smoker

- [ ] Wound care   - [ ] SW
- [ ] Speach   - [ ] PT

- [ ] Dvt prophylaxis
- [ ] Hep drip

- [ ] Chest XRAy: PNA atelectasia
- [ ] EKG nsr rbbb Lbbb AFib
- [ ] Echo
- [ ] CTH
- [ ] CTA
- [ ] CTP
- [ ] CT Chest
- [ ] CT abdomen
- [ ] Cardiac Cath
- [ ] Carotid doppler
- [ ] MRI brain
- [ ] Trop   - [ ] BNP
- [ ] US dupplex
- [ ] US abdomen
- [ ] UA   - [ ] UCx   - [ ] Sputum cx
- [ ] BCx   - [ ] WCx
- [ ] UTOX
- [ ] ERCP
- [ ] MRCP

HTN	PULMONAR
- [ ] Amlodipine	- [ ] Albuterol
- [ ] Amiodarone	- [ ] Ipatropium
- [ ] Cardiazem	- [ ] Budesonine
- [ ] Carvedilol	- [ ] Levalbuterol
- [ ] Clonidine	- [ ] Prednisone
- [ ] Entresto	- [ ] Solumedrol
- [ ] Lisinopril Enalapril	- [ ] Dexamethasone
- [ ] HCTZ	**CARDIO**
- [ ] Hydralazine	- [ ] Asa
- [ ] Labetolol	- [ ] Eliquis
- [ ] Lasix bumex	- [ ] Lipitor /simvastatin/
- [ ] Lisinopril	- [ ] Lovenox
- [ ] Losartan	- [ ] Plavix
- [ ] Metolazone	- [ ] Ranexa
- [ ] Metop T	- [ ] Warfarin
- [ ] Metop S	- [ ] Xarelto
- [ ] Nifedipine	**URO**
- [ ] Verapamil	
THYROID	- [ ] Finasteride
- [ ] Levothyroxine	- [ ] Tamsulosin
- [ ] Methymazole	
- [ ] Propylthiouracil	

ABX
- [ ] Acyclovir
- [ ] Augmentin
- [ ] Azitromycin
- [ ] Aztreonam
- [ ] Cefaclor
- [ ] Cefepime
- [ ] Cefdenir
- [ ] Ceftri xone
- [ ] Ciprofloxacine
- [ ] Clindamycin
- [ ] Daptomycin
- [ ] Doxycicline
- [ ] Levofloxacin
- [ ] Flagyl
- [ ] Fluconazol
- [ ] Meropenem
- [ ] Valacyclovir
- [ ] Vancomycin
- [ ] Zosyn
- [ ] Zivox

DM2
- [ ] Glargine
- [ ] Iss
- [ ] Lispro
- [ ] Calcium
- [ ] Fe
- [ ] FA   B1   B12 C zinc
- [ ] Vit D
- [ ] MVT

NEURO
- [ ] Acid valproic
- [ ] Keppra
- [ ] Phenytoin

PAIN
- [ ] Gabapentin
- [ ] Hydromorphone
- [ ] Methadone
- [ ] Morphine
- [ ] Percocet /Oxycodone
- [ ] Toradol
- [ ] Tramadol
- [ ] Tylenol

GI
- [ ] Docusate / Senna
- [ ] Famotidine
- [ ] Lactulose
- [ ] Octeotride
- [ ] Propanolol
- [ ] Pantoprazole /ome/eso/famotidine
- [ ] Reglan   Zofran
- [ ] Rifaximin
- [ ] Spironolactone

PSYCH
- [ ] Ati an
- [ ] Benadryl
- [ ] Carbidopa/Levodopa
- [ ] Citalopram
- [ ] Clonazepam
- [ ] Donezepil
- [ ] Librium
- [ ] Mirtazapine
- [ ] Quetiapine
- [ ] Sertraline   Paroxetine
- [ ] Trazodone
- [ ] Xanax

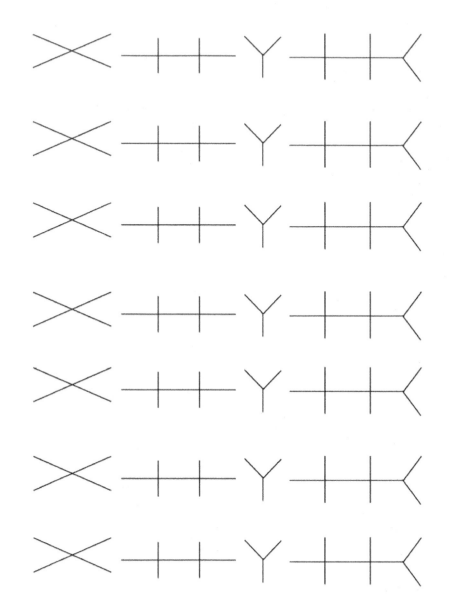

Name	Reason of admission
Neuro	Sedation: Precedex Fentanyl Propofol Versed
Cardio	Vasopressors: Levophed Phenylephrine Epinephrine Vasopresine Amiodarone: Cardizem: Nifedipine:
Respiratory	Ventlator: NC VM NR Hi flow Bipap Ventlator : / / / Trach: Muscle relaxant: Rocuronium Nimbex
Endo	Insulin drip:
GU/Nephrology	IV Fluids: NS LR D5 NS D5 LR D5 0.45% NS
Heme	FOLEY
ID	LINE: RIJ LIJ RF LF SHYLEY Midline PICC line
GI	FEEDINGS: NGT PEG
General measure	
Dvt Proph PPI proph Diet	

NAME: _____

Admited for: _____

☐ DM2 HTN HLD	☐ Chest XRAy: PNA atelectasia
☐ CAD stent CABG	☐ EKG nsr rbbb Lbbb AFib
☐ Anemia	☐ Echo
☐ AF xarelto warfarin eliquis PM	☐ CTH
☐ Asthma COPD ltot	☐ CTA
☐ BPH Prostate Ca	☐ CTP
☐ BMI	☐ CT Chest
☐ CHF EF ICD	☐ CT abdomen
☐ CKD ESRD tts wf PC AVF	☐ Cardiac Cath
☐ CVA residual weakness R L TIA	☐ Carotid doppler
☐ Dementia Aleimer Parkinson	☐ MRI brain
☐ Depression anxiety	☐ Trop ☐ BNP
☐ Hep C Hep B	☐ US dupplex
☐ Hypothyroism	☐ US abdomen
☐ HIV HART	☐ UA ☐ UCx ☐ Sputum cx
☐ Ca	☐ BCx ☐ WCx
☐ RA	☐ UTOX
☐ Seizure	☐ ERCP
☐ MDRO	☐ MRCP
☐ Allergy: PNC, ASA,	

☐ ETOH   Drug   Smoker

☐ Wound care   ☐ SW
☐ Speach   ☐ PT

☐ Dvt prophylaxis
☐ Hep drip

ABX	PAIN
☐ Acyclovir	☐ Gabapentin
☐ Augmentin	☐ Hydromorphone
☐ Azitromycin	☐ Methadone
☐ Aztreonam	☐ Morphine
☐ Cefaclor	☐ Percocet /Oxycodone
☐ Cefepime	☐ Toradol
☐ Cefdenir	☐ Tramadol
☐ Ceftri xone	☐ Tylenol
☐ Ciprofloxacine	
☐ Clindamycin	
☐ Daptomycin	GI
☐ Doxycicline	☐ Docusate / Senna
☐ Levofloxacin	☐ Famotidine
☐ Flagyl	☐ Lactulose
☐ Fluconazol	☐ Octeotride
☐ Meropenem	☐ Propanolol
☐ Valacyclovir	☐ Pantoprazole /ome/eso/famotidine
☐ Vancomycin	☐ Reglan Zofran
☐ Zosyn	☐ Rifaximin
☐ Zivox	☐ Spironolactone

HTN	PULMONAR
☐ Amlodipine	☐ Albuterol
☐ Amiodarone	☐ Ipatropium
☐ Cardiazem	☐ Budesonine
☐ Carvedilol	☐ Levalbuterol
☐ Clonidine	☐ Prednisone
☐ Entresto	☐ Solumedrol
☐ Lisinopril Enalapril	☐ Dexamethasone
☐ HCTZ	
☐ Hydralazine	CARDIO
☐ Labetolol	☐ Asa
☐ Lasix bumex	☐ Eliquis
☐ Lisinopril	☐ Lipitor /simvastatin/
☐ Losartan	☐ Lovenox
☐ Metolazone	☐ Plavix
☐ Metop T	☐ Ranexa
☐ Metop S	☐ Warfarin
☐ Nifedipine	☐ Xarelto
☐ Verapamil	

DM2	PSYCH
☐ Glargine	☐ Ati an
☐ Iss	☐ Benadryl
☐ Lispro	☐ Carbidopa/Levodopa
☐ Calcium	☐ Citalopram
☐ Fe	☐ Clonazepam
☐ FA B1 B12 C zinc	☐ Donezepil
☐ Vit D	☐ Librium
☐ MVT	☐ Mirtazapine
	☐ Quetiapine
NEURO	☐ Sertraline Paroxetine
☐ Acid valproic	☐ Trazodone
☐ Keppra	☐ Xanax
☐ Phenytoin	

THYROID	URO
☐ Levothyroxine	☐ Finasteride
☐ Methymazole	☐ Tamsulosin
☐ Propylthiouracil	

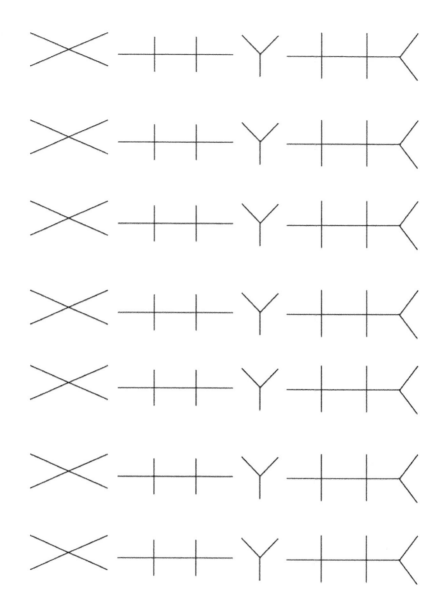

Name	Reason of admission
Neuro	Sedation: Precedex Fentanyl Propofol Versed
Cardio	Vasopressors: Levophed Phenylephrine Epinephrine Vasopresine Amiodarone: Cardizem: Nifedipine:
Respiratory	Ventlator: NC VM NR Hi flow Bipap Ventlator : / / / Trach: Muscle relaxant: Rocuronium Nimbex
Endo	Insulin drip:
GU/Nephrology	IV Fluids: NS LR D5 NS D5 LR D5 0.45% NS
Heme	FOLEY
ID	LINE: RIJ LIJ RF LF SHYLEY Midline PICC line
GI	FEEDINGS: NGT PEG
General measure	
Dvt Proph PPI proph Diet	

NAME: _____

Admited for: _____

_____

_____

☐ DM2 HTN HLD	☐ Chest XRAy: PNA atelectasia
☐ CAD stent CABG	☐ EKG nsr rbbb Lbbb AFib
☐ Anemia	☐ Echo
☐ AF xarelto warfarin eliquis PM	☐ CTH
☐ Asthma COPD ltot	☐ CTA
☐ BPH Prostate Ca	☐ CTP
☐ BMI	☐ CT Chest
☐ CHF EF ICD	☐ CT abdomen
☐ CKD ESRD tts wf PC AVF	☐ Cardiac Cath
☐ CVA residual weakness R L TIA	☐ Carotid doppler
☐ Dementia Aleimer Parkinson	☐ MRI brain
☐ Depression anxiety	☐ Trop ☐ BNP
☐ Hep C Hep B	☐ US dupplex
☐ Hypothyroism	☐ US abdomen
☐ HIV HART	☐ UA ☐ UCx ☐ Sputum cx
☐ Ca	☐ BCx ☐ WCx
☐ RA	☐ UTOX
☐ Seizure	☐ ERCP
☐ MDRO	☐ MRCP
☐ Allergy: PNC, ASA,	

| ☐ ETOH   Drug   Smoker |

☐ Wound care ☐ SW	
☐ Speach ☐ PT	

☐ Dvt prophylaxis
☐ Hep drip

ABX	PAIN
☐ Acyclovir	☐ Gabapentin
☐ Augmentin	☐ Hydromorphone
☐ Azitromycin	☐ Methadone
☐ Aztreonam	☐ Morphine
☐ Cefaclor	☐ Percocet /Oxycodone
☐ Cefepime	☐ Toradol
☐ Cefdenir	☐ Tramadol
☐ Ceftri xone	☐ Tylenol
☐ Ciprofloxacine	
☐ Clindamycin	

HTN	PULMONAR
☐ Amlodipine	☐ Albuterol
☐ Amiodarone	☐ Ipatropium
☐ Cardiazem	☐ Budesonine
☐ Carvedilol	☐ Levalbuterol
☐ Clonidine	☐ Prednisone
☐ Entresto	☐ Solumedrol
☐ Lisinopril Enalapril	☐ Dexamethasone
☐ HCTZ	
☐ Hydralazine	
☐ Labetolol	
☐ Lasix bumex	
☐ Lisinopril	
☐ Losartan	
☐ Metolazone	
☐ Metop T	
☐ Metop S	
☐ Nifedipine	
☐ Verapamil	

ABX (cont)	GI
☐ Daptomycin	
☐ Doxycicline	☐ Docusate / Senna
☐ Levofloxacin	☐ Famotidine
☐ Flagyl	☐ Lactulose
☐ Fluconazol	☐ Octeotride
☐ Meropenem	☐ Propanolol
☐ Valacyclovir	☐ Pantoprazole /ome/eso/famotidine
☐ Vancomycin	☐ Reglan Zofran
☐ Zosyn	☐ Rifaximin
☐ Zivox	☐ Spironolactone

CARDIO	DM2
☐ Asa	☐ Glargine
☐ Eliquis	☐ Iss
☐ Lipitor /simvastatin/	☐ Lispro
☐ Lovenox	☐ Calcium
☐ Plavix	☐ Fe
☐ Ranexa	☐ FA B1 B12 C zinc
☐ Warfarin	☐ Vit D
☐ Xarelto	☐ MVT

PSYCH
☐ Ati an
☐ Benadryl
☐ Carbidopa/Levodopa
☐ Citalopram
☐ Clonazepam
☐ Donezepil
☐ Librium
☐ Mirtazapine
☐ Quetiapine
☐ Sertraline   Paroxetine
☐ Trazodone
☐ Xanax

THYROID	URO	NEURO
☐ Levothyroxine	☐ Finasteride	☐ Acid valproic
☐ Methymazole	☐ Tamsulosin	☐ Keppra
☐ Propylthiouracil		☐ Phenytoin

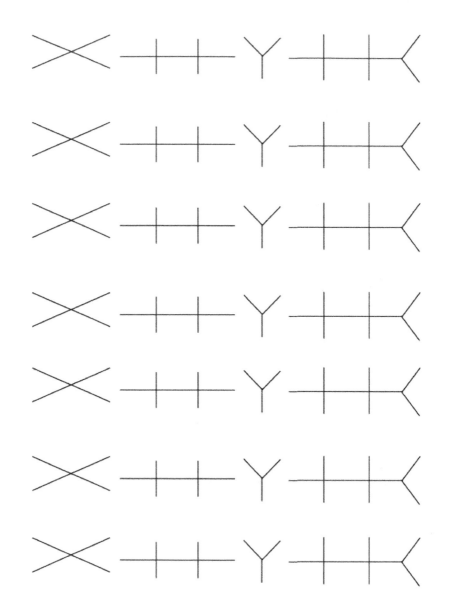

Name	Reason of admission

Neuro	Sedation: Precedex
	        Fentanyl
	        Propofol
	        Versed

Cardio	Vasopressors: Levophed
	             Phenylephrine
	             Epinephrine
	             Vasopresine
	Amiodarone:
	Cardizem:
	Nifedipine:

Respiratory	Ventlator: NC
	        VM
	        NR
	        Hi flow
	        Bipap
	        Ventlator : / / /
	        Trach:
	Muscle relaxant: Rocuronium
	                Nimbex

Endo	Insulin drip:

GU/Nephrology	IV Fluids: NS
	        LR
	        D5
	        NS D5
	        LR D5
	        0.45% NS

Heme	FOLEY

ID	LINE: RIJ LIJ
	          RF LF
	         SHYLEY
	         Midline PICC line

GI	FEEDINGS: NGT PEG
General measure	
Dvt Proph PPI proph Diet	

NAME: _____

Admited for: _____

_____

_____

☐ DM2 HTN HLD	☐ Chest XRAy: PNA atelectasia
☐ CAD stent CABG	☐ EKG nsr rbbb Lbbb AFib
☐ Anemia	☐ Echo
☐ AF xarelto warfarin eliquis PM	☐ CTH
☐ Asthma COPD Itot	☐ CTA
☐ BPH Prostate Ca	☐ CTP
☐ BMI	☐ CT Chest
☐ CHF EF ICD	☐ CT abdomen
☐ CKD ESRD tts wf PC AVF	☐ Cardiac Cath
☐ CVA residual weakness R L TIA	☐ Carotid doppler
☐ Dementia Aleimer Parkinson	☐ MRI brain
☐ Depression anxiety	☐ Trop ☐ BNP
☐ Hep C Hep B	☐ US dupplex
☐ Hypothyroism	☐ US abdomen
☐ HIV HART	☐ UA ☐ UCx ☐ Sputum cx
☐ Ca	☐ BCx ☐ WCx
☐ RA	☐ UTOX
☐ Seizure	☐ ERCP
☐ MDRO	☐ MRCP
☐ Allergy: PNC, ASA,	

ABX	PAIN
☐ Acyclovir	☐ Gabapentin
☐ Augmentin	☐ Hydromorphone

☐ ETOH   Drug   Smoker

☐ Wound care ☐ SW	
☐ Speach ☐ PT	

☐ Dvt prophylaxis

☐ Hep drip

HTN	PULMONAR	ABX (cont.)	PAIN (cont.)
		☐ Azitromycin	☐ Methadone
		☐ Aztreonam	☐ Morphine
☐ Amlodipine	☐ Albuterol	☐ Cefaclor	☐ Percocet /Oxycodone
☐ Amiodarone	☐ Ipatropium	☐ Cefepime	☐ Toradol
☐ Cardiazem	☐ Budesonine	☐ Cefdenir	☐ Tramadol
☐ Carvedilol	☐ Levalbuterol	☐ Ceftri xone	☐ Tylenol
☐ Clonidine	☐ Prednisone	☐ Ciprofloxacine	
☐ Entresto	☐ Solumedrol	☐ Clindamycin	GI
☐ Lisinopril Enalapril	☐ Dexamethasone	☐ Daptomycin	
☐ HCTZ		☐ Doxycicline	☐ Docusate / Senna
☐ Hydralazine	CARDIO	☐ Levofloxacin	☐ Famotidine
☐ Labetolol	☐ Asa	☐ Flagyl	☐ Lactulose
☐ Lasix bumex	☐ Eliquis	☐ Fluconazol	☐ Octeotride
☐ Lisinopril	☐ Lipitor /simvastatin/	☐ Meropenem	☐ Propanolol
☐ Losartan	☐ Lovenox	☐ Valacyclovir	☐ Pantoprazole /ome/eso/famotidine
☐ Metolazone	☐ Plavix	☐ Vancomycin	☐ Reglan Zofran
☐ Metop T	☐ Ranexa	☐ Zosyn	☐ Rifaximin
☐ Metop S	☐ Warfarin	☐ Zivox	☐ Spironolactone
☐ Nifedipine	☐ Xarelto	DM2	
☐ Verapamil		☐ Glargine	PSYCH
THYROID	URO	☐ Iss	☐ Ati an
	☐ Finasteride	☐ Lispro	☐ Benadryl
☐ Levothyroxine	☐ Tamsulosin	☐ Calcium	☐ Carbidopa/Levodopa
☐ Methymazole		☐ Fe	☐ Citalopram
☐ Propylthiouracil	NEURO	☐ FA B1 B12 C zinc	☐ Clonazepam
	☐ Acid valproic	☐ Vit D	☐ Donezepil
	☐ Keppra	☐ MVT	☐ Librium
	☐ Phenytoin		☐ Mirtazapine
			☐ Quetiapine
			☐ Sertraline Paroxetine
			☐ Trazodone
			☐ Xanax

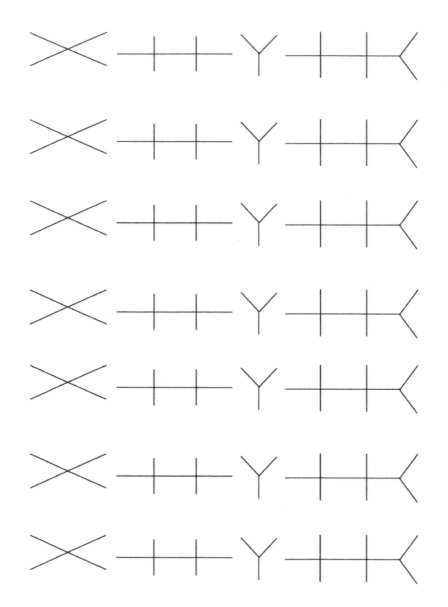

Name	Reason of admission
Neuro	Sedation: Precedex Fentanyl Propofol Versed
Cardio	Vasopressors: Levophed Phenylephrine Epinephrine Vasopresine Amiodarone: Cardizem: Nifedipine:
Respiratory	Ventilator: NC VM NR Hi flow Bipap Ventilator : / / / Trach: Muscle relaxant: Rocuronium Nimbex
Endo	Insulin drip:
GU/Nephrology	IV Fluids: NS LR D5 NS D5 LR D5 0.45% NS
Heme	FOLEY
ID	LINE: RIJ LIJ RF LF SHYLEY Midline PICC line
GI	FEEDINGS: NGT PEG
General measure	
Dvt Proph PPI proph Diet	

NAME: _____

Admited for: _____

☐ DM2 HTN HLD	☐ Chest XRAy: PNA atelectasia
☐ CAD stent CABG	☐ EKG nsr rbbb Lbbb AFib
☐ Anemia	☐ Echo
☐ AF xarelto warfarin eliquis PM	☐ CTH
☐ Asthma COPD Itot	☐ CTA
☐ BPH Prostate Ca	☐ CTP
☐ BMI	☐ CT Chest
☐ CHF EF ICD	☐ CT abdomen
☐ CKD ESRD tts wf PC AVF	☐ Cardiac Cath
☐ CVA residual weakness R L TIA	☐ Carotid doppler
☐ Dementia Aleimer Parkinson	☐ MRI brain
☐ Depression anxiety	☐ Trop ☐ BNP
☐ Hep C Hep B	☐ US dupplex
☐ Hypothyroism	☐ US abdomen
☐ HIV HART	☐ UA ☐ UCx ☐ Sputum cx
☐ Ca	☐ BCx ☐ WCx
☐ RA	☐ UTOX
☐ Seizure	☐ ERCP
☐ MDRO	☐ MRCP
☐ Allergy: PNC, ASA,	
☐ ETOH Drug Smoker	

ABX	PAIN
☐ Acyclovir	☐ Gabapentin
☐ Augmentin	☐ Hydromorphone
☐ Azitromycin	☐ Methadone
☐ Aztreonam	☐ Morphine
☐ Cefaclor	☐ Percocet /Oxycodone
☐ Cefepime	☐ Toradol
☐ Cefdenir	☐ Tramadol
☐ Ceftri xone	☐ Tylenol
☐ Ciprofloxacine	
☐ Clindamycin	GI
☐ Daptomycin	☐ Docusate / Senna
☐ Doxcicline	☐ Famotidine
☐ Levofloxacin	☐ Lactulose
☐ Flagyl	☐ Octeotride
☐ Fluconazol	☐ Propanolol
☐ Meropenem	☐ Pantoprazole /ome/eso/famotidine
☐ Valacyclovir	☐ Reglan Zofran
☐ Vancomycin	☐ Rifaximin
☐ Zosyn	☐ Spironolactone
☐ Zivox	

Other sections:

☐ Wound care   ☐ SW
☐ Speach   ☐ PT

☐ Dvt prophylaxis
☐ Hep drip

HTN	PULMONAR
☐ Amlodipine	☐ Albuterol
☐ Amiodarone	☐ Ipatropium
☐ Cardiazem	☐ Budesonine
☐ Carvedilol	☐ Levalbuterol
☐ Clonidine	☐ Prednisone
☐ Entresto	☐ Solumedrol
☐ Lisinopril Enalapril	☐ Dexamethasone
☐ HCTZ	CARDIO
☐ Hydralazine	☐ Asa
☐ Labetolol	☐ Eliquis
☐ Lasix bumex	☐ Lipitor /simvastatin/
☐ Lisinopril	☐ Lovenox
☐ Losartan	☐ Plavix
☐ Metolazone	☐ Ranexa
☐ Metop T	☐ Warfarin
☐ Metop S	☐ Xarelto
☐ Nifedipine	URO
☐ Verapamil	☐ Finasteride
THYROID	☐ Tamsulosin
☐ Levothyroxine	
☐ Methymazole	
☐ Propylthiouracil	

DM2	PSYCH
☐ Glargine	☐ Ati an
☐ Iss	☐ Benadryl
☐ Lispro	☐ Carbidopa/Levodopa
☐ Calcium	☐ Citalopram
☐ Fe	☐ Clonazepam
☐ FA B1 B12 C zinc	☐ Donezepil
☐ Vit D	☐ Librium
☐ MVT	☐ Mirtazapine
NEURO	☐ Quetiapine
☐ Acid valproic	☐ Sertraline Paroxetine
☐ Keppra	☐ Trazodone
☐ Phenytoin	☐ Xanax

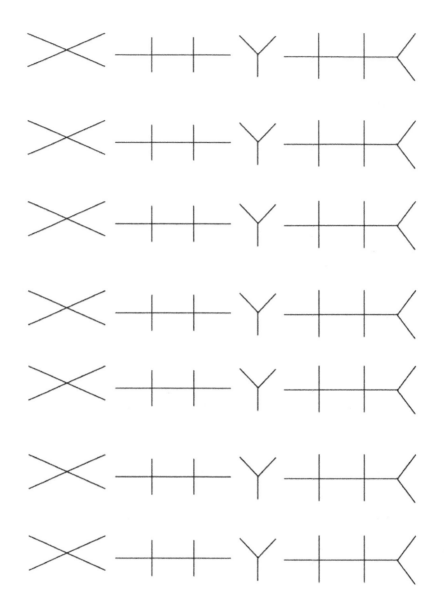

Name	Reason of admission
Neuro	Sedation: Precedex
	Fentanyl
	Propofol
	Versed
Cardio	Vasopressors: Levophed
	Phenylephrine
	Epinephrine
	Vasopresine
	Amiodarone:
	Cardizem:
	Nifedipine:
Respiratory	Ventlator: NC
	VM
	NR
	Hi flow
	Bipap
	Ventlator : / / /
	Trach:
	Muscle relaxant: Rocuronium
	Nimbex
Endo	Insulin drip:
GU/Nephrology	IV Fluids: NS
	LR
	D5
	NS D5
	LR D5
	0.45% NS
Heme	FOLEY
ID	LINE: RIJ LIJ
	RF LF
	SHYLEY
	Midline PICC line
GI	FEEDINGS: NGT
	PEG
General measure	
Dvt Proph	
PPI proph	
Diet	

NAME: _____

Admitted for: _____

_____

_____

☐ DM2 HTN HLD	☐ Chest XRAy: PNA atelectasia
☐ CAD stent CABG	☐ EKG nsr rbbb Lbbb AFib
☐ Anemia	☐ Echo
☐ AF xarelto warfarin eliquis PM	☐ CTH
☐ Asthma COPD ltot	☐ CTA
☐ BPH Prostate Ca	☐ CTP
☐ BMI	☐ CT Chest
☐ CHF EF ICD	☐ CT abdomen
☐ CKD ESRD tts wf PC AVF	☐ Cardiac Cath
☐ CVA residual weakness R L TIA	☐ Carotid doppler
☐ Dementia Aleimer Parkinson	☐ MRI brain
☐ Depression anxiety	☐ Trop ☐ BNP
☐ Hep C Hep B	☐ US dupplex
☐ Hypothyroism	☐ US abdomen
☐ HIV HART	☐ UA ☐ UCx ☐ Sputum cx
☐ Ca	☐ BCx ☐ WCx
☐ RA	☐ UTOX
☐ Seizure	☐ ERCP
☐ MDRO	☐ MRCP
☐ Allergy: PNC, ASA,	
☐ ETOH Drug Smoker	

☐ Wound care	☐ SW	
☐ Speach	☐ PT	

☐ Dvt prophylaxis
☐ Hep drip

ABX	PAIN
☐ Acyclovir	☐ Gabapentin
☐ Augmentin	☐ Hydromorphone
☐ Azitromycin	☐ Methadone
☐ Aztreonam	☐ Morphine
☐ Cefaclor	☐ Percocet /Oxycodone
☐ Cefepime	☐ Toradol
☐ Cefdenir	☐ Tramadol
☐ Ceftri xone	☐ Tylenol
☐ Ciprofloxacine	
☐ Clindamycin	GI
☐ Daptomycin	☐ Docusate / Senna
☐ Doxycicline	☐ Famotidine
☐ Levofloxacin	☐ Lactulose
☐ Flagyl	☐ Octeotride
☐ Fluconazol	☐ Propanolol
☐ Meropenem	☐ Pantoprazole /ome/eso/famotidine
☐ Valacyclovir	☐ Reglan Zofran
☐ Vancomycin	☐ Rifaximin
☐ Zosyn	☐ Spironolactone
☐ Zivox	

HTN	PULMONAR
☐ Amlodipine	☐ Albuterol
☐ Amiodarone	☐ Ipatropium
☐ Cardiazem	☐ Budesonine
☐ Carvedilol	☐ Levalbuterol
☐ Clonidine	☐ Prednisone
☐ Entresto	☐ Solumedrol
☐ Lisinopril Enalapril	☐ Dexamethasone
☐ HCTZ	CARDIO
☐ Hydralazine	☐ Asa
☐ Labetolol	☐ Eliquis
☐ Lasix bumex	☐ Lipitor /simvastatin/
☐ Lisinopril	☐ Lovenox
☐ Losartan	☐ Plavix
☐ Metolazone	☐ Ranexa
☐ Metop T	☐ Warfarin
☐ Metop S	☐ Xarelto
☐ Nifedipine	
☐ Verapamil	

DM2	PSYCH
☐ Glargine	☐ Ati an
☐ Iss	☐ Benadryl
☐ Lispro	☐ Carbidopa/Levodopa
☐ Calcium	☐ Citalopram
☐ Fe	☐ Clonazepam
☐ FA B1 B12 C zinc	☐ Donezepil
☐ Vit D	☐ Librium
☐ MVT	☐ Mirtazapine

THYROID	URO	NEURO
☐ Levothyroxine	☐ Finasteride	☐ Acid valproic
☐ Methymazole	☐ Tamsulosin	☐ Keppra
☐ Propylthiouracil		☐ Phenytoin

PSYCH (cont.)
☐ Quetiapine
☐ Sertraline Paroxetine
☐ Trazodone
☐ Xanax

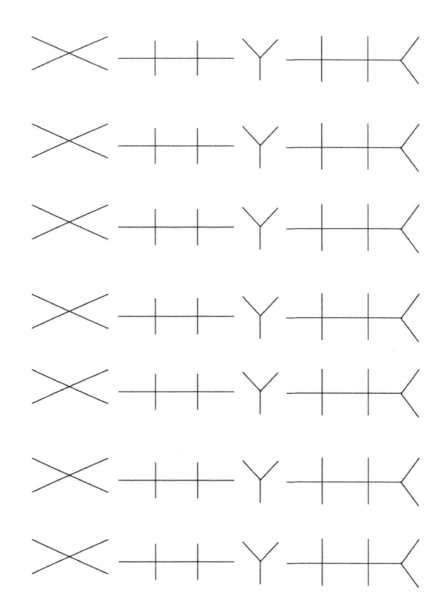

Name	Reason of admission
Neuro	Sedation: Precedex Fentanyl Propofol Versed
Cardio	Vasopressors: Levophed Phenylephrine Epinephrine Vasopresine Amiodarone: Cardizem: Nifedipine:
Respiratory	Ventlator: NC VM NR Hi flow Bipap Ventlator : / / / Trach: Muscle relaxant: Rocuronium Nimbex
Endo	Insulin drip:
GU/Nephrology	IV Fluids: NS LR D5 NS D5 LR D5 0.45% NS
Heme	FOLEY
ID	LINE: RIJ LIJ RF LF SHYLEY Midline PICC line
GI	FEEDINGS: NGT PEG
General measure	
Dvt Proph PPI proph Diet	

NAME: _____

Admited for: _____

- [ ] DM2 HTN   HLD
- [ ] CAD stent   CABG
- [ ] Anemia
- [ ] AF xarelto   warfarin   eliquis   PM
- [ ] Asthma   COPD   ltot
- [ ] BPH   Prostate Ca
- [ ] BMI
- [ ] CHF   EF   ICD
- [ ] CKD ESRD tts   wf   PC   AVF
- [ ] CVA residual weakness R L   TIA
- [ ] Dementia   Aleimer Parkinson
- [ ] Depression anxiety
- [ ] Hep C   Hep B
- [ ] Hypothyroism
- [ ] HIV HART
- [ ] Ca
- [ ] RA
- [ ] Seizure
- [ ] MDRO
- [ ] Allergy: PNC, ASA,
- [ ] ETOH   Drug   Smoker

- [ ] Wound care   - [ ] SW
- [ ] Speach   - [ ] PT

- [ ] Dvt prophylaxis
- [ ] Hep drip

- [ ] Chest XRAy: PNA   atelectasia
- [ ] EKG nsr   rbbb Lbbb AFib
- [ ] Echo
- [ ] CTH
- [ ] CTA
- [ ] CTP
- [ ] CT Chest
- [ ] CT abdomen
- [ ] Cardiac Cath
- [ ] Carotid doppler
- [ ] MRI brain
- [ ] Trop   - [ ] BNP
- [ ] US dupplex
- [ ] US abdomen
- [ ] UA   - [ ] UCx   - [ ] Sputum cx
- [ ] BCx   - [ ] WCx
- [ ] UTOX
- [ ] ERCP
- [ ] MRCP

ABX	PAIN
Acyclovir	Gabapentin
Augmentin	Hydromorphone
Azitromycin	Methadone
Aztreonam	Morphine
Cefaclor	Percocet /Oxycodone
Cefepime	Toradol
Cefdenir	Tramadol
Ceftri xone	Tylenol
Ciprofloxacine	

HTN / **PULMONAR**

HTN	PULMONAR
Amlodipine	Albuterol
Amiodarone	Ipatropium
Cardiazem	Budesonine
Carvedilol	Levalbuterol
Clonidine	Prednisone
Entresto	Solumedrol
Lisinopril Enalapril	Dexamethasone
HCTZ	

ABX continued:
- [ ] Clindamycin
- [ ] Daptomycin
- [ ] Doxycicline
- [ ] Levofloxacin
- [ ] Flagyl
- [ ] Fluconazol
- [ ] Meropenem
- [ ] Valacyclovir
- [ ] Vancomycin
- [ ] Zosyn
- [ ] Zivox

GI
Docusate / Senna
Famotidine
Lactulose
Octeotride
Propanolol
Pantoprazole /ome/eso/famotidine
Reglan   Zofran
Rifaximin
Spironolactone

HTN continued:
- [ ] Hydralazine
- [ ] Labetolol
- [ ] Lasix bumex
- [ ] Lisinopril
- [ ] Losartan
- [ ] Metolazone
- [ ] Metop T
- [ ] Metop S
- [ ] Nifedipine
- [ ] Verapamil

CARDIO	DM2
Asa	Glargine
Eliquis	Iss
Lipitor /simvastatin/	Lispro
Lovenox	Calcium
Piavix	Fe
Ranexa	FA B1 B12 C zinc
Warfarin	Vit D
Xarelto	MVT

PSYCH
Ati an
Benadryl
Carbidopa/Levodopa
Citalopram
Clonazepam
Donezepil
Librium
Mirtazapine
Quetiapine
Sertraline   Paroxetine
Trazodone
Xanax

THYROID	URO	NEURO
Levothyroxine	Finasteride	Acid valproic
Methymazole	Tamsulosin	Keppra
Propylthiouracil		Phenytoin

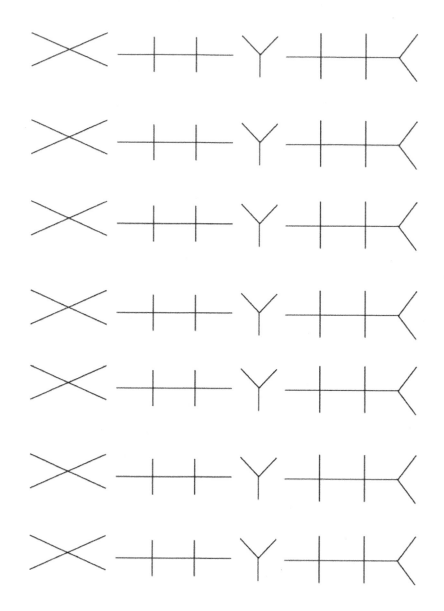

Name	Reason of admission
Neuro	Sedation: Precedex Fentanyl Propofol Versed
Cardio	Vasopressors: Levophed Phenylephrine Epinephrine Vasopresine Amiodarone: Cardizem: Nifedipine:
Respiratory	Ventlator: NC VM NR Hi flow Bipap Ventlator : / / / Trach: Muscle relaxant: Rocuronium Nimbex
Endo	Insulin drip:
GU/Nephrology	IV Fluids: NS LR D5 NS D5 LR D5 0.45% NS
Heme	FOLEY
ID	LINE: RIJ LIJ RF LF SHYLEY Midline PICC line
GI	FEEDINGS: NGT PEG
General measure Dvt Proph PPI proph Diet	

NAME: _____

Admited for: _____

_____

_____

☐ DM2 HTN HLD	☐ Chest XRAy: PNA atelectasia
☐ CAD stent CABG	☐ EKG nsr rbbb Lbbb AFib
☐ Anemia	☐ Echo
☐ AF xarelto warfarin eliquis PM	☐ CTH
☐ Asthma COPD Itot	☐ CTA
☐ BPH Prostate Ca	☐ CTP
☐ BMI	☐ CT Chest
☐ CHF EF ICD	☐ CT abdomen
☐ CKD ESRD tts wf PC AVF	☐ Cardiac Cath
☐ CVA residual weakness R L TIA	☐ Carotid doppler
☐ Dementia Aleimer Parkinson	☐ MRI brain
☐ Depression anxiety	☐ Trop ☐ BNP
☐ Hep C Hep B	☐ US dupplex
☐ Hypothyroism	☐ US abdomen
☐ HIV HART	☐ UA ☐ UCx ☐ Sputum cx
☐ Ca	☐ BCx ☐ WCx
☐ RA	☐ UTOX
☐ Seizure	☐ ERCP
☐ MDRO	☐ MRCP
☐ Allergy: PNC, ASA,	

☐ ETOH Drug Smoker

☐ Wound care   ☐ SW
☐ Speach   ☐ PT

☐ Dvt prophylaxis
☐ Hep drip

ABX	PAIN
☐ Acyclovir	☐ Gabapentin
☐ Augmentin	☐ Hydromorphone
☐ Azitromycin	☐ Methadone
☐ Aztreonam	☐ Morphine
☐ Cefaclor	☐ Percocet /Oxycodone
☐ Cefepime	☐ Toradol
☐ Cefdenir	☐ Tramadol
☐ Ceftri xone	☐ Tylenol
☐ Ciprofloxacine	
☐ Clindamycin	GI
☐ Daptomycin	☐ Docusate / Senna
☐ Doxycicline	☐ Famotidine
☐ Levofloxacin	☐ Lactulose
☐ Flagyl	☐ Octeotride
☐ Fluconazol	☐ Propanolol
☐ Meropenem	☐ Pantoprazole /ome/eso/famotidine
☐ Valacyclovir	☐ Reglan Zofran
☐ Vancomycin	☐ Rifaximin
☐ Zosyn	☐ Spironolactone
☐ Zivox	

HTN	PULMONAR
☐ Amlodipine	☐ Albuterol
☐ Amiodarone	☐ Ipatropium
☐ Cardiazem	☐ Budesonine
☐ Carvedilol	☐ Levalbuterol
☐ Clonidine	☐ Prednisone
☐ Entresto	☐ Solumedrol
☐ Lisinopril Enalapril	☐ Dexamethasone
☐ HCTZ	CARDIO
☐ Hydralazine	
☐ Labetolol	☐ Asa
☐ Lasix bumex	☐ Eliquis
☐ Lisinopril	☐ Lipitor /simvastatin/
☐ Losartan	☐ Lovenox
☐ Metolazone	☐ Plavix
☐ Metop T	☐ Ranexa
☐ Metop S	☐ Warfarin
☐ Nifedipine	☐ Xarelto
☐ Verapamil	

DM2
☐ Glargine
☐ Iss
☐ Lispro
☐ Calcium
☐ Fe
☐ FA B1 B12 C zinc
☐ Vit D
☐ MVT

PSYCH
☐ Ati an
☐ Benadryl
☐ Carbidopa/Levodopa
☐ Citalopram
☐ Clonazepam
☐ Donezepil
☐ Librium
☐ Mirtazapine
☐ Quetiapine
☐ Sertraline Paroxetine
☐ Trazodone
☐ Xanax

THYROID	URO
☐ Levothyroxine	☐ Finasteride
☐ Methymazole	☐ Tamsulosin
☐ Propylthiouracil	

NEURO
☐ Acid valproic
☐ Keppra
☐ Phenytoin

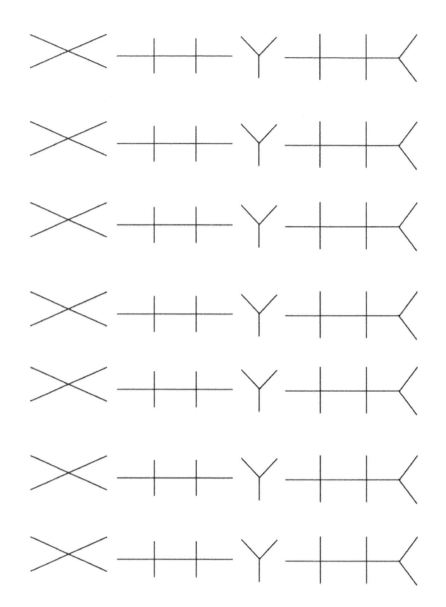

Name	Reason of admission
Neuro	Sedation: Precedex Fentanyl Propofol Versed
Cardio	Vasopressors: Levophed Phenylephrine Epinephrine Vasopresine Amiodarone: Cardizem: Nifedipine:
Respiratory	Ventilator: NC VM NR Hi flow Bipap Ventilator : / / / Trach: Muscle relaxant: Rocuronium Nimbex
Endo	Insulin drip:
GU/Nephrology	IV Fluids: NS LR D5 NS D5 LR D5 0.45% NS
Heme	FOLEY
ID	LINE: RIJ LIJ RF LF SHYLEY Midline PICC line
GI	FEEDINGS: NGT PEG
General measure	
Dvt Proph PPI proph Diet	

NAME: _____

Admitted for: _____

☐ DM2 HTN HLD	☐ Chest XRAy: PNA atelectasia
☐ CAD stent CABG	☐ EKG nsr rbbb Lbbb AFib
☐ Anemia	☐ Echo
☐ AF xarelto warfarin eliquis PM	☐ CTH
☐ Asthma COPD ltot	☐ CTA
☐ BPH Prostate Ca	☐ CTP
☐ BMI	☐ CT Chest
☐ CHF EF ICD	☐ CT abdomen
☐ CKD ESRD tts wf PC AVF	☐ Cardiac Cath
☐ CVA residual weakness R L TIA	☐ Carotid doppler
☐ Dementia Aleimer Parkinson	☐ MRI brain
☐ Depression anxiety	☐ Trop ☐ BNP
☐ Hep C Hep B	☐ US dupplex
☐ Hypothyroism	☐ US abdomen
☐ HIV HART	☐ UA ☐ UCx ☐ Sputum cx
☐ Ca	☐ BCx ☐ WCx
☐ RA	☐ UTOX
☐ Seizure	☐ ERCP
☐ MDRO	☐ MRCP
☐ Allergy: PNC, ASA,	

	ABX	PAIN
☐ ETOH Drug Smoker	☐ Acyclovir	☐ Gabapentin
	☐ Augmentin	☐ Hydromorphone
☐ Wound care ☐ SW	☐ Azitromycin	☐ Methadone
☐ Speach ☐ PT	☐ Aztreonam	☐ Morphine
	☐ Cefaclor	☐ Percocet /Oxycodone
☐ Dvt prophylaxis	☐ Cefepime	☐ Toradol
☐ Hep drip	☐ Cefdenir	☐ Tramadol
	☐ Ceftri xone	☐ Tylenol

HTN	PULMONAR	☐ Ciprofloxacine	
		☐ Clindamycin	GI
☐ Amlodipine	☐ Albuterol	☐ Daptomycin	
☐ Amiodarone	☐ Ipatropium	☐ Doxycicline	☐ Docusate / Senna
☐ Cardiazem	☐ Budesonine	☐ Levofloxacin	☐ Famotidine
☐ Carvedilol	☐ Levalbuterol	☐ Flagyl	☐ Lactulose
☐ Clonidine	☐ Prednisone	☐ Fluconazol	☐ Octeotride
☐ Entresto	☐ Solumedrol	☐ Meropenem	☐ Propanolol
☐ Lisinopril Enalapril	☐ Dexamethasone	☐ Valacyclovir	☐ Pantoprazole /ome/eso/famotidine
☐ HCTZ		☐ Vancomycin	☐ Reglan Zofran
☐ Hydralazine	CARDIO	☐ Zosyn	☐ Rifaximin
☐ Labetolol	☐ Asa	☐ Zivox	☐ Spironolactone
☐ Lasix bumex	☐ Eliquis	DM2	PSYCH
☐ Lisinopril	☐ Lipitor /simvastatin/	☐ Glargine	
☐ Losartan	☐ Lovenox	☐ Iss	☐ Ati an
☐ Metolazone	☐ Plavix	☐ Lispro	☐ Benadryl
☐ Metop T	☐ Ranexa	☐ Calcium	☐ Carbidopa/Levodopa
☐ Metop S	☐ Warfarin	☐ Fe	☐ Citalopram
☐ Nifedipine	☐ Xarelto	☐ FA B1 B12 C zinc	☐ Clonazepam
☐ Verapamil		☐ Vit D	☐ Donezepil
THYROID	URO	☐ MVT	☐ Librium
	☐ Finasteride	NEURO	☐ Mirtazapine
☐ Levothyroxine	☐ Tamsulosin		☐ Quetiapine
☐ Methymazole		☐ Acid valproic	☐ Sertraline Paroxetine
☐ Propylthiouracil		☐ Keppra	☐ Trazodone
		☐ Phenytoin	☐ Xanax

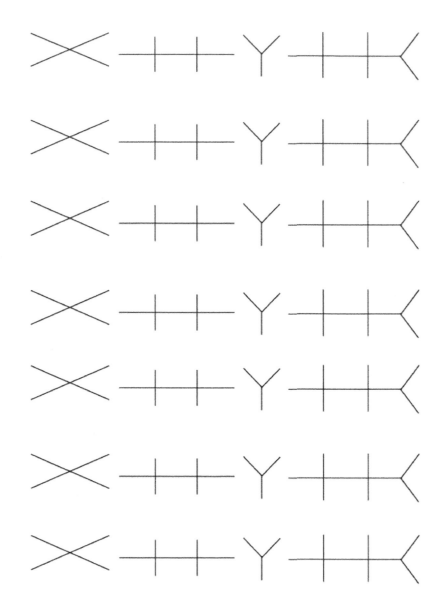

Name	Reason of admission
Neuro	Sedation: Precedex
	Fentanyl
	Propofol
	Versed
Cardio	Vasopressors: Levophed
	Phenylephrine
	Epinephrine
	Vasopresine
	Amiodarone:
	Cardizem:
	Nifedipine:
Respiratory	Ventilator: NC
	VM
	NR
	Hi flow
	Bipap
	Ventilator : / / /
	Trach:
	Muscle relaxant: Rocuronium
	Nimbex
Endo	Insulin drip:
GU/Nephrology	IV Fluids: NS
	LR
	D5
	NS D5
	LR D5
	0.45% NS
Heme	FOLEY
ID	LINE: RIJ LIJ
	RF LF
	SHYLEY
	Midline PICC line
GI	FEEDINGS: NGT
	PEG
General measure	
Dvt Proph	
PPI proph	
Diet	

NAME: _____

Admited for: _____

- [ ] DM2   HTN   HLD
- [ ] CAD   stent   CABG
- [ ] Anemia
- [ ] AF   xarelto   warfarin   eliquis   PM
- [ ] Asthma   COPD   ltot
- [ ] BPH   Prostate Ca
- [ ] BMI
- [ ] CHF   EF   ICD
- [ ] CKD   ESRD   tts   wf   PC   AVF
- [ ] CVA   residual weakness   R   L   TIA
- [ ] Dementia   Aleimer   Parkinson
- [ ] Depression anxiety
- [ ] Hep C   Hep B
- [ ] Hypothyroism
- [ ] HIV HART
- [ ] Ca
- [ ] RA
- [ ] Seizure
- [ ] MDRO
- [ ] Allergy: PNC, ASA,
- [ ] ETOH   Drug   Smoker

- [ ] Wound care   - [ ] SW
- [ ] Speach   - [ ] PT

- [ ] Dvt prophylaxis
- [ ] Hep drip

- [ ] Chest XRAy: PNA   atelectasia
- [ ] EKG   nsr   rbbb   Lbbb   AFib
- [ ] Echo
- [ ] CTH
- [ ] CTA
- [ ] CTP
- [ ] CT Chest
- [ ] CT abdomen
- [ ] Cardiac Cath
- [ ] Carotid doppler
- [ ] MRI brain
- [ ] Trop   - [ ] BNP
- [ ] US dupplex
- [ ] US abdomen
- [ ] UA   - [ ] UCx   - [ ] Sputum cx
- [ ] BCx   - [ ] WCx
- [ ] UTOX
- [ ] ERCP
- [ ] MRCP

HTN	PULMONAR
- [ ] Amlodipine	- [ ] Albuterol
- [ ] Amiodarone	- [ ] Ipatropium
- [ ] Cardiazem	- [ ] Budesonine
- [ ] Carvedilol	- [ ] Levalbuterol
- [ ] Clonidine	- [ ] Prednisone
- [ ] Entresto	- [ ] Solumedrol
- [ ] Lisinopril Enalapril	- [ ] Dexamethasone

HTN (cont.)	CARDIO
- [ ] HCTZ	- [ ] Asa
- [ ] Hydralazine	- [ ] Eliquis
- [ ] Labetolol	- [ ] Lipitor /simvastatin/
- [ ] Lasix bumex	- [ ] Lovenox
- [ ] Lisinopril	- [ ] Plavix
- [ ] Losartan	- [ ] Ranexa
- [ ] Metolazone	- [ ] Warfarin
- [ ] Metop T	- [ ] Xarelto
- [ ] Metop S	
- [ ] Nifedipine	URO
- [ ] Verapamil	- [ ] Finasteride

THYROID	URO
- [ ] Levothyroxine	- [ ] Finasteride
- [ ] Methymazole	- [ ] Tamsulosin
- [ ] Propylthiouracil	

ABX
- [ ] Acyclovir
- [ ] Augmentin
- [ ] Azitromycin
- [ ] Aztreonam
- [ ] Cefaclor
- [ ] Cefepime
- [ ] Cefdenir
- [ ] Ceftri xone
- [ ] Ciprofloxacine
- [ ] Clindamycin
- [ ] Daptomycin
- [ ] Doxycicline
- [ ] Levofloxacin
- [ ] Flagyl
- [ ] Fluconazol
- [ ] Meropenem
- [ ] Valacyclovir
- [ ] Vancomycin
- [ ] Zosyn
- [ ] Zivox

DM2
- [ ] Glargine
- [ ] Iss
- [ ] Lispro
- [ ] Calcium
- [ ] Fe
- [ ] FA   B1   B12 C zinc
- [ ] Vit D
- [ ] MVT

NEURO
- [ ] Acid valproic
- [ ] Keppra
- [ ] Phenytoin

PAIN
- [ ] Gabapentin
- [ ] Hydromorphone
- [ ] Methadone
- [ ] Morphine
- [ ] Percocet /Oxycodone
- [ ] Toradol
- [ ] Tramadol
- [ ] Tylenol

GI
- [ ] Docusate / Senna
- [ ] Famotidine
- [ ] Lactulose
- [ ] Octeotride
- [ ] Propanolol
- [ ] Pantoprazole /ome/eso/famotidine
- [ ] Reglan   Zofran
- [ ] Rifaximin
- [ ] Spironolactone

PSYCH
- [ ] Ati an
- [ ] Benadryl
- [ ] Carbidopa/Levodopa
- [ ] Citalopram
- [ ] Clonazepam
- [ ] Donezepil
- [ ] Librium
- [ ] Mirtazapine
- [ ] Quetiapine
- [ ] Sertraline   Paroxetine
- [ ] Trazodone
- [ ] Xanax

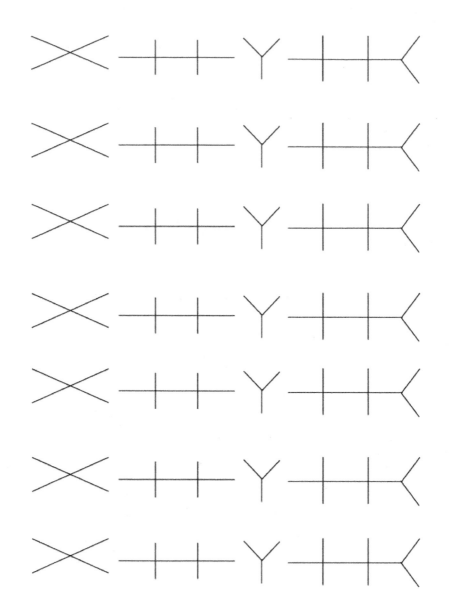

Name	Reason of admission
Neuro	Sedation: Precedex
	Fentanyl
	Propofol
	Versed
Cardio	Vasopressors: Levophed
	Phenylephrine
	Epinephrine
	Vasopresine
	Amiodarone:
	Cardizem:
	Nifedipine:
Respiratory	Ventlator: NC
	VM
	NR
	Hi flow
	Bipap
	Ventlator : / / /
	Trach:
	Muscle relaxant: Rocuronium
	Nimbex
Endo	Insulin drip:
GU/Nephrology	IV Fluids: NS
	LR
	D5
	NS D5
	LR D5
	0.45% NS
Heme	FOLEY
ID	LINE: RIJ LIJ
	RF LF
	SHYLEY
	Midline PICC line
GI	FEEDINGS: NGT
	PEG
General measure	
Dvt Proph	
PPI proph	
Diet	

NAME: _____

Admited for: _____

_____

_____

☐ DM2 HTN HLD	☐ Chest XRAy: PNA atelectasia
☐ CAD stent CABG	☐ EKG nsr rbbb Lbbb AFib
☐ Anemia	☐ Echo
☐ AF xarelto warfarin eliquis PM	☐ CTH
☐ Asthma COPD ltot	☐ CTA
☐ BPH Prostate Ca	☐ CTP
☐ BMI	☐ CT Chest
☐ CHF EF ICD	☐ CT abdomen
☐ CKD ESRD tts wf PC AVF	☐ Cardiac Cath
☐ CVA residual weakness R L TIA	☐ Carotid doppler
☐ Dementia Aleimer Parkinson	☐ MRI brain
☐ Depression anxiety	☐ Trop ☐ BNP
☐ Hep C Hep B	☐ US dupplex
☐ Hypothyroism	☐ US abdomen
☐ HIV HART	☐ UA ☐ UCx ☐ Sputum cx
☐ Ca	☐ BCx ☐ WCx
☐ RA	☐ UTOX
☐ Seizure	☐ ERCP
☐ MDRO	☐ MRCP
☐ Allergy: PNC, ASA,	

☐ ETOH Drug Smoker		**ABX**	**PAIN**

☐ Wound care ☐ SW		☐ Acyclovir	☐ Gabapentin
☐ Speach ☐ PT		☐ Augmentin	☐ Hydromorphone
		☐ Azitromycin	☐ Methadone
☐ Dvt prophylaxis		☐ Aztreonam	☐ Morphine
☐ Hep drip		☐ Cefaclor	☐ Percocet /Oxycodone

HTN	**PULMONAR**	ABX cont	PAIN cont
		☐ Cefepime	☐ Toradol
	☐ Albuterol	☐ Cefdenir	☐ Tramadol
☐ Amlodipine	☐ Ipatropium	☐ Ceftri xone	☐ Tylenol
☐ Amiodarone	☐ Budesonine	☐ Ciprofloxacine	
☐ Cardiazem	☐ Levalbuterol	☐ Clindamycin	**GI**
☐ Carvedilol	☐ Prednisone	☐ Daptomycin	
☐ Clonidine	☐ Solumedrol	☐ Doxycicline	☐ Docusate / Senna
☐ Entresto	☐ Dexamethasone	☐ Levofloxacin	☐ Famotidine
☐ Lisinopril Enalapril		☐ Flagyl	☐ Lactulose
☐ HCTZ	**CARDIO**	☐ Fluconazol	☐ Octeotride
☐ Hydralazine		☐ Meropenem	☐ Propanolol
☐ Labetolol	☐ Asa	☐ Valacyclovir	☐ Pantoprazole /ome/eso/famotidine
☐ Lasix bumex	☐ Eliquis	☐ Vancomycin	☐ Reglan Zofran
☐ Lisinopril	☐ Lipitor /simvastatin/	☐ Zosyn	☐ Rifaximin
☐ Losartan	☐ Lovenox	☐ Zivox	☐ Spironolactone
☐ Metolazone	☐ Plavix	**DM2**	
☐ Metop T	☐ Ranexa		**PSYCH**
☐ Metop S	☐ Warfarin	☐ Glargine	
☐ Nifedipine	☐ Xarelto	☐ Iss	☐ Ati an
☐ Verapamil		☐ Lispro	☐ Benadryl
	URO	☐ Calcium	☐ Carbidopa/Levodopa
THYROID		☐ Fe	☐ Citalopram
	☐ Finasteride	☐ FA B1 B12 C zinc	☐ Clonazepam
☐ Levothyroxine	☐ Tamsulosin	☐ Vit D	☐ Donezepil
☐ Methymazole		☐ MVT	☐ Librium
☐ Propylthiouracil	**NEURO**		☐ Mirtazapine
			☐ Quetiapine
	☐ Acid valproic		☐ Sertraline Paroxetine
	☐ Keppra		☐ Trazodone
	☐ Phenytoin		☐ Xanax

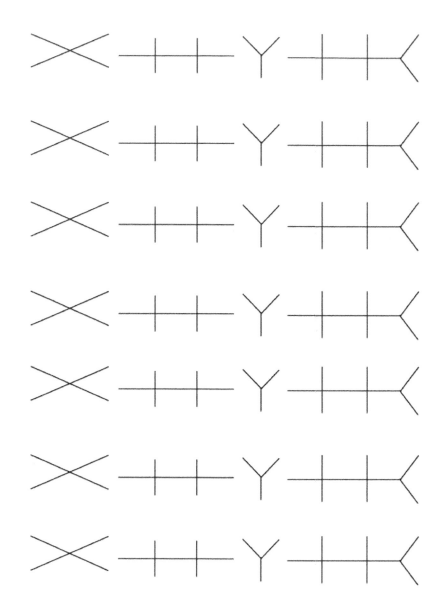

Name	Reason of admission
Neuro	Sedation: Precedex Fentanyl Propofol Versed
Cardio	Vasopressors: Levophed Phenylephrine Epinephrine Vasopresine Amiodarone: Cardizem: Nifedipine:
Respiratory	Ventilator: NC VM NR Hi flow Bipap Ventilator : / / / Trach: Muscle relaxant: Rocuronium Nimbex
Endo	Insulin drip:
GU/Nephrology	IV Fluids: NS LR D5 NS D5 LR D5 0.45% NS
Heme	FOLEY
ID	LINE: RIJ LIJ RF LF SHYLEY Midline PICC line
GI	FEEDINGS: NGT PEG
General measure	
Dvt Proph PPI proph Diet	

NAME: _____

Admited for: _____

_____

_____

☐ DM2 HTN HLD	☐ Chest XRAy: PNA atelectasia
☐ CAD stent CABG	☐ EKG nsr rbbb Lbbb AFib
☐ Anemia	☐ Echo
☐ AF xarelto warfarin eliquis PM	☐ CTH
☐ Asthma COPD ltot	☐ CTA
☐ BPH Prostate Ca	☐ CTP
☐ BMI	☐ CT Chest
☐ CHF EF ICD	☐ CT abdomen
☐ CKD ESRD tts wf PC AVF	☐ Cardiac Cath
☐ CVA residual weakness R L TIA	☐ Carotid doppler
☐ Dementia Aleimer Parkinson	☐ MRI brain
☐ Depression anxiety	☐ Trop ☐ BNP
☐ Hep C Hep B	☐ US dupplex
☐ Hypothyroism	☐ US abdomen
☐ HIV HART	☐ UA ☐ UCx ☐ Sputum cx
☐ Ca	☐ BCx ☐ WCx
☐ RA	☐ UTOX
☐ Seizure	☐ ERCP
☐ MDRO	☐ MRCP
☐ Allergy: PNC, ASA,	
☐ ETOH Drug Smoker	

ABX	PAIN

☐ Wound care ☐ SW	☐ Acyclovir	☐ Gabapentin
☐ Speach ☐ PT	☐ Augmentin	☐ Hydromorphone

ABX	PAIN
☐ Acyclovir	☐ Gabapentin
☐ Augmentin	☐ Hydromorphone
☐ Azitromycin	☐ Methadone
☐ Aztreonam	☐ Morphine
☐ Cefaclor	☐ Percocet /Oxycodone
☐ Cefepime	☐ Toradol
☐ Cefdenir	☐ Tramadol
☐ Ceftri xone	☐ Tylenol
☐ Ciprofloxacine	
☐ Clindamycin	
☐ Daptomycin	GI
☐ Doxycicline	☐ Docusate / Senna
☐ Levofloxacin	☐ Famotidine
☐ Flagyl	☐ Lactulose
☐ Fluconazol	☐ Octeotride
☐ Meropenem	☐ Propanolol
☐ Valacyclovir	☐ Pantoprazole /ome/eso/famotidine
☐ Vancomycin	☐ Reglan Zofran
☐ Zosyn	☐ Rifaximin
☐ Zivox	☐ Spironolactone

☐ Dvt prophylaxis
☐ Hep drip

HTN	PULMONAR
☐ Amlodipine	☐ Albuterol
☐ Amiodarone	☐ Ipatropium
☐ Cardiazem	☐ Budesonine
☐ Carvedilol	☐ Levalbuterol
☐ Clonidine	☐ Prednisone
☐ Entresto	☐ Solumedrol
☐ Lisinopril Enalapril	☐ Dexamethasone
☐ HCTZ	CARDIO
☐ Hydralazine	☐ Asa
☐ Labetolol	☐ Eliquis
☐ Lasix bumex	☐ Lipitor /simvastatin/
☐ Lisinopril	☐ Lovenox
☐ Losartan	☐ Plavix
☐ Metolazone	☐ Ranexa
☐ Metop T	☐ Warfarin
☐ Metop S	☐ Xarelto
☐ Nifedipine	URO
☐ Verapamil	☐ Finasteride
THYROID	☐ Tamsulosin
☐ Levothyroxine	
☐ Methymazole	
☐ Propylthiouracil	

DM2	PSYCH
☐ Glargine	☐ Ati an
☐ Iss	☐ Benadryl
☐ Lispro	☐ Carbidopa/Levodopa
☐ Calcium	☐ Citalopram
☐ Fe	☐ Clonazepam
☐ FA B1 B12 C zinc	☐ Donezepil
☐ Vit D	☐ Librium
☐ MVT	☐ Mirtazapine
NEURO	☐ Quetiapine
☐ Acid valproic	☐ Sertraline Paroxetine
☐ Keppra	☐ Trazodone
☐ Phenytoin	☐ Xanax

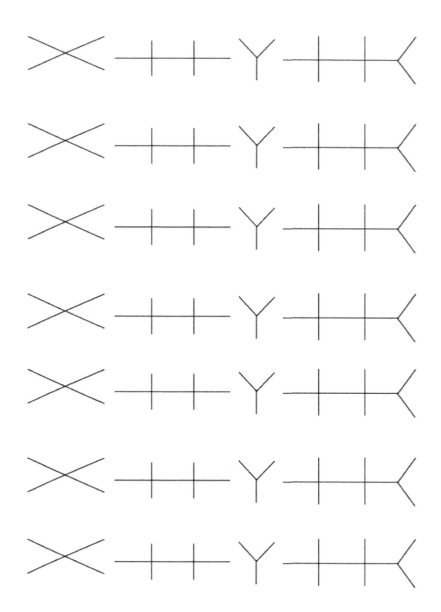

Name	Reason of admission
Neuro	Sedation: Precedex Fentanyl Propofol Versed
Cardio	Vasopressors: Levophed Phenylephrine Epinephrine Vasopresine Amiodarone: Cardizem: Nifedipine:
Respiratory	Ventilator: NC VM NR Hi flow Bipap Ventilator : / / / Trach: Muscle relaxant: Rocuronium Nimbex
Endo	Insulin drip:
GU/Nephrology	IV Fluids: NS LR D5 NS D5 LR D5 0.45% NS
Heme	FOLEY
ID	LINE: RIJ LIJ RF LF SHYLEY Midline PICC line
GI	FEEDINGS: NGT PEG
General measure	
Dvt Proph PPI proph Diet	

NAME: _____

Admited for: _____

_____

_____

☐ DM2 HTN HLD	☐ Chest XRAy: PNA atelectasia
☐ CAD stent CABG	☐ EKG nsr rbbb Lbbb AFib
☐ Anemia	☐ Echo
☐ AF xarelto warfarin eliquis PM	☐ CTH
☐ Asthma COPD ltot	☐ CTA
☐ BPH Prostate Ca	☐ CTP
☐ BMI	☐ CT Chest
☐ CHF EF ICD	☐ CT abdomen
☐ CKD ESRD tts wf PC AVF	☐ Cardiac Cath
☐ CVA residual weakness R L TIA	☐ Carotid doppler
☐ Dementia Aleimer Parkinson	☐ MRI brain
☐ Depression anxiety	☐ Trop ☐ BNP
☐ Hep C Hep B	☐ US dupplex
☐ Hypothyroism	☐ US abdomen
☐ HIV HART	☐ UA ☐ UCx ☐ Sputum cx
☐ Ca	☐ BCx ☐ WCx
☐ RA	☐ UTOX
☐ Seizure	☐ ERCP
☐ MDRO	☐ MRCP
☐ Allergy: PNC, ASA,	
☐ ETOH Drug Smoker	

ABX	PAIN
☐ Acyclovir	☐ Gabapentin

☐ Wound care   ☐ SW
☐ Speach   ☐ PT

☐ Dvt prophylaxis
☐ Hep drip

HTN	PULMONAR	ABX	PAIN
		☐ Acyclovir	☐ Gabapentin
		☐ Augmentin	☐ Hydromorphone
		☐ Azitromycin	☐ Methadone
		☐ Aztreonam	☐ Morphine
		☐ Cefaclor	☐ Percocet /Oxycodone
☐ Amlodipine	☐ Albuterol	☐ Cefepime	☐ Toradol
☐ Amiodarone	☐ Ipatropium	☐ Cefdenir	☐ Tramadol
☐ Cardiazem	☐ Budesonine	☐ Ceftri xone	☐ Tylenol
☐ Carvedilol	☐ Levalbuterol	☐ Ciprofloxacine	
☐ Clonidine	☐ Prednisone	☐ Clindamycin	GI
☐ Entresto	☐ Solumedrol	☐ Daptomycin	
☐ Lisinopril Enalapril	☐ Dexamethasone	☐ Doxycicline	☐ Docusate / Senna
☐ HCTZ		☐ Levofloxacin	☐ Famotidine
☐ Hydralazine	CARDIO	☐ Flagyl	☐ Lactulose
☐ Labetolol	☐ Asa	☐ Fluconazol	☐ Octeotride
☐ Lasix bumex	☐ Eliquis	☐ Meropenem	☐ Propanolol
☐ Lisinopril	☐ Lipitor /simvastatin/	☐ Valacyclovir	☐ Pantoprazole /ome/eso/famotidine
☐ Losartan	☐ Lovenox	☐ Vancomycin	☐ Reglan Zofran
☐ Metolazone	☐ Plavix	☐ Zosyn	☐ Rifaximin
☐ Metop T	☐ Ranexa	☐ Zivox	☐ Spironolactone
☐ Metop S	☐ Warfarin	DM2	
☐ Nifedipine	☐ Xarelto	☐ Glargine	PSYCH
☐ Verapamil		☐ Iss	☐ Ati an
THYROID	URO	☐ Lispro	☐ Benadryl
	☐ Finasteride	☐ Calcium	☐ Carbidopa/Levodopa
☐ Levothyroxine	☐ Tamsulosin	☐ Fe	☐ Citalopram
☐ Methymazole		☐ FA B1 B12 C zinc	☐ Clonazepam
☐ Propylthiouracil	NEURO	☐ Vit D	☐ Donezepil
	☐ Acid valproic	☐ MVT	☐ Librium
	☐ Keppra		☐ Mirtazapine
	☐ Phenytoin		☐ Quetiapine
			☐ Sertraline Paroxetine
			☐ Trazodone
			☐ Xanax

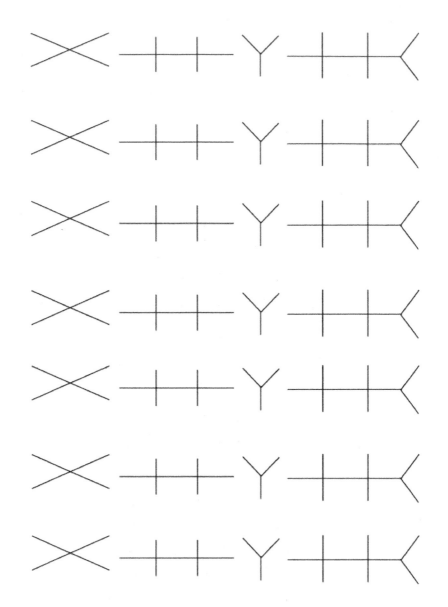

Name	Reason of admission
Neuro	Sedation: Precedex Fentanyl Propofol Versed
Cardio	Vasopressors: Levophed Phenylephrine Epinephrine Vasopresine Amiodarone: Cardizem: Nifedipine:
Respiratory	Ventlator: NC VM NR Hi flow Bipap Ventlator : / / / Trach: Muscle relaxant: Rocuronium Nimbex
Endo	Insulin drip:
GU/Nephrology	IV Fluids: NS LR D5 NS D5 LR D5 0.45% NS
Heme	FOLEY
ID	LINE: RIJ LIJ RF LF SHYLEY Midline PICC line
GI	FEEDINGS: NGT PEG
General measure Dvt Proph PPI proph Diet	

NAME: _____
Admited for: _____
_____
_____

☐ DM2 HTN HLD	☐ Chest XRAy: PNA atelectasia
☐ CAD stent CABG	☐ EKG nsr rbbb Lbbb AFib
☐ Anemia	☐ Echo
☐ AF xarelto warfarin eliquis PM	☐ CTH
☐ Asthma COPD ltot	☐ CTA
☐ BPH Prostate Ca	☐ CTP
☐ BMI	☐ CT Chest
☐ CHF EF ICD	☐ CT abdomen
☐ CKD ESRD tts wf PC AVF	☐ Cardiac Cath
☐ CVA residual weakness R L TIA	☐ Carotid doppler
☐ Dementia Aleimer Parkinson	☐ MRI brain
☐ Depression anxiety	☐ Trop ☐ BNP
☐ Hep C Hep B	☐ US dupplex
☐ Hypothyroism	☐ US abdomen
☐ HIV HART	☐ UA ☐ UCx ☐ Sputum cx
☐ Ca	☐ BCx ☐ WCx
☐ RA	☐ UTOX
☐ Seizure	☐ ERCP
☐ MDRO	☐ MRCP
☐ Allergy: PNC, ASA,	

| ☐ ETOH   Drug   Smoker |

☐ Wound care	☐ SW
☐ Speach	☐ PT

☐ Dvt prophylaxis	
☐ Hep drip	

ABX	PAIN
☐ Acyclovir	☐ Gabapentin
☐ Augmentin	☐ Hydromorphone
☐ Azitromycin	☐ Methadone
☐ Aztreonam	☐ Morphine
☐ Cefaclor	☐ Percocet /Oxycodone
☐ Cefepime	☐ Toradol
☐ Cefdenir	☐ Tramadol
☐ Ceftri xone	☐ Tylenol
☐ Ciprofloxacine	
☐ Clindamycin	GI
☐ Daptomycin	
☐ Doxycicline	☐ Docusate / Senna
☐ Levofloxacin	☐ Famotidine
☐ Flagyl	☐ Lactulose
☐ Fluconazol	☐ Octeotride
☐ Meropenem	☐ Propanolol
☐ Valacyclovir	☐ Pantoprazole /ome/eso/famotidine
☐ Vancomycin	☐ Reglan Zofran
☐ Zosyn	☐ Rifaximin
☐ Zivox	☐ Spironolactone

HTN	PULMONAR
☐ Amlodipine	☐ Albuterol
☐ Amiodarone	☐ Ipatropium
☐ Cardiazem	☐ Budesonine
☐ Carvedilol	☐ Levalbuterol
☐ Clonidine	☐ Prednisone
☐ Entresto	☐ Solumedrol
☐ Lisinopril Enalapril	☐ Dexamethasone

DM2	PSYCH
☐ Glargine	☐ Ati an
☐ Iss	☐ Benadryl
☐ Lispro	☐ Carbidopa/Levodopa
☐ Calcium	☐ Citalopram
☐ Fe	☐ Clonazepam
☐ FA B1 B12 C zinc	☐ Donezepil
☐ Vit D	☐ Librium
☐ MVT	☐ Mirtazapine

HTN (cont.)	CARDIO
☐ HCTZ	☐ Asa
☐ Hydralazine	☐ Eliquis
☐ Labetolol	☐ Lipitor /simvastatin/
☐ Lasix bumex	☐ Lovenox
☐ Lisinopril	☐ Plavix
☐ Losartan	☐ Ranexa
☐ Metolazone	☐ Warfarin
☐ Metop T	☐ Xarelto
☐ Metop S	
☐ Nifedipine	URO
☐ Verapamil	☐ Finasteride
	☐ Tamsulosin

THYROID	NEURO
☐ Levothyroxine	☐ Acid valproic
☐ Methymazole	☐ Keppra
☐ Propylthiouracil	☐ Phenytoin

PSYCH (cont.)
☐ Quetiapine
☐ Sertraline Paroxetine
☐ Trazodone
☐ Xanax

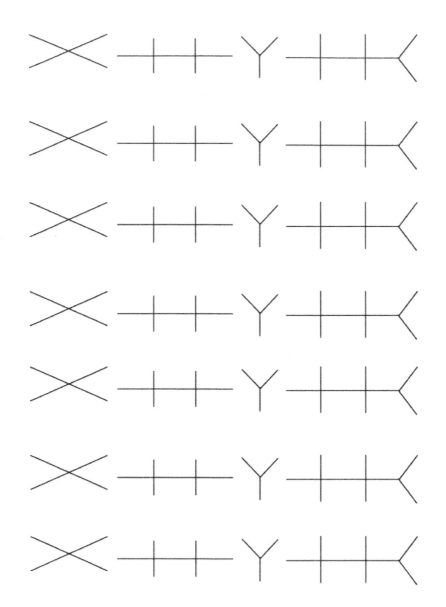

Name	Reason of admission
Neuro	Sedation: Precedex Fentanyl Propofol Versed
Cardio	Vasopressors: Levophed Phenylephrine Epinephrine Vasopresine Amiodarone: Cardizem: Nifedipine:
Respiratory	Ventlator: NC VM NR Hi flow Bipap Ventlator : / / / Trach: Muscle relaxant: Rocuronium Nimbex
Endo	Insulin drip:
GU/Nephrology	IV Fluids: NS LR D5 NS D5 LR D5 0.45% NS
Heme	FOLEY
ID	LINE: RIJ LIJ RF LF SHYLEY Midline PICC line
GI	FEEDINGS: NGT PEG
General measure Dvt Proph PPI proph Diet	

NAME: _____

Admitted for: _____

_____

_____

☐ DM2 HTN HLD	☐ Chest XRAy: PNA atelectasia
☐ CAD stent CABG	☐ EKG nsr rbbb Lbbb AFib
☐ Anemia	☐ Echo
☐ AF xarelto warfarin eliquis PM	☐ CTH
☐ Asthma COPD ltot	☐ CTA
☐ BPH Prostate Ca	☐ CTP
☐ BMI	☐ CT Chest
☐ CHF EF ICD	☐ CT abdomen
☐ CKD ESRD tts wf PC AVF	☐ Cardiac Cath
☐ CVA residual weakness R L TIA	☐ Carotid doppler
☐ Dementia Aleimer Parkinson	☐ MRI brain
☐ Depression anxiety	☐ Trop ☐ BNP
☐ Hep C Hep B	☐ US dupplex
☐ Hypothyroism	☐ US abdomen
☐ HIV HART	☐ UA ☐ UCx ☐ Sputum cx
☐ Ca	☐ BCx ☐ WCx
☐ RA	☐ UTOX
☐ Seizure	☐ ERCP
☐ MDRO	☐ MRCP
☐ Allergy: PNC, ASA,	
☐ ETOH Drug Smoker	

ABX	PAIN
☐ Acyclovir	☐ Gabapentin
☐ Augmentin	☐ Hydromorphone
☐ Azitromycin	☐ Methadone
☐ Aztreonam	☐ Morphine
☐ Cefaclor	☐ Percocet /Oxycodone
☐ Cefepime	☐ Toradol
☐ Cefdenir	☐ Tramadol
☐ Ceftri xone	☐ Tylenol
☐ Ciprofloxacine	
☐ Clindamycin	GI

☐ Wound care   ☐ SW
☐ Speach   ☐ PT

☐ Dvt prophylaxis
☐ Hep drip

HTN	PULMONAR
☐ Amlodipine	☐ Albuterol
☐ Amiodarone	☐ Ipatropium
☐ Cardiazem	☐ Budesonine
☐ Carvedilol	☐ Levalbuterol
☐ Clonidine	☐ Prednisone
☐ Entresto	☐ Solumedrol
☐ Lisinopril Enalapril	☐ Dexamethasone
☐ HCTZ	CARDIO
☐ Hydralazine	☐ Asa
☐ Labetolol	☐ Eliquis
☐ Lasix bumex	☐ Lipitor /simvastatin/
☐ Lisinopril	☐ Lovenox
☐ Losartan	☐ Plavix
☐ Metolazone	☐ Ranexa
☐ Metop T	☐ Warfarin
☐ Metop S	☐ Xarelto
☐ Nifedipine	URO
☐ Verapamil	☐ Finasteride
THYROID	☐ Tamsulosin
☐ Levothyroxine	
☐ Methymazole	
☐ Propylthiouracil	

(ABX continued)	GI
☐ Daptomycin	☐ Docusate / Senna
☐ Doxycicline	☐ Famotidine
☐ Levofloxacin	☐ Lactulose
☐ Flagyl	☐ Octeotride
☐ Fluconazol	☐ Propanolol
☐ Meropenem	☐ Pantoprazole /ome/eso/famotidine
☐ Valacyclovir	☐ Reglan Zofran
☐ Vancomycin	☐ Rifaximin
☐ Zosyn	☐ Spironolactone
☐ Zivox	PSYCH

DM2	PSYCH
☐ Glargine	☐ Ati an
☐ Iss	☐ Benadryl
☐ Lispro	☐ Carbidopa/Levodopa
☐ Calcium	☐ Citalopram
☐ Fe	☐ Clonazepam
☐ FA B1 B12 C zinc	☐ Donezepil
☐ Vit D	☐ Librium
☐ MVT	☐ Mirtazapine

NEURO	PSYCH
☐ Acid valproic	☐ Quetiapine
☐ Keppra	☐ Sertraline Paroxetine
☐ Phenytoin	☐ Trazodone
	☐ Xanax

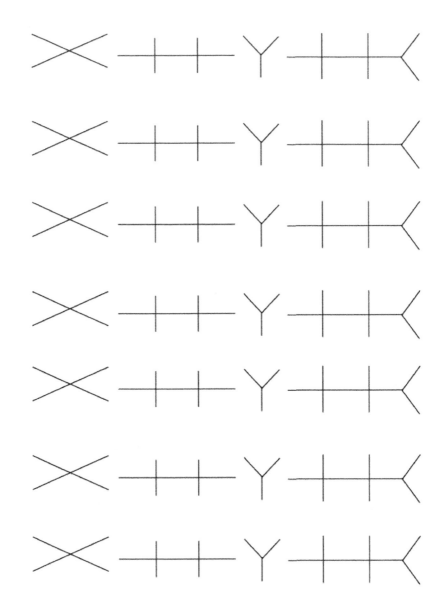

Name	Reason of admission
Neuro	Sedation: Precedex
	Fentanyl
	Propofol
	Versed
Cardio	Vasopressors: Levophed
	Phenylephrine
	Epinephrine
	Vasopresine
	Amiodarone:
	Cardizem:
	Nifedipine:
Respiratory	Ventlator: NC
	VM
	NR
	Hi flow
	Bipap
	Ventlator : / / /
	Trach:
	Muscle relaxant: Rocuronium
	Nimbex
Endo	Insulin drip:
GU/Nephrology	IV Fluids: NS
	LR
	D5
	NS D5
	LR D5
	0.45% NS
Heme	FOLEY
ID	LINE: RIJ LIJ
	RF LF
	SHYLEY
	Midline PICC line
GI	FEEDINGS: NGT
	PEG
General measure	
Dvt Proph	
PPI proph	
Diet	

NAME: _____
Admited for: _____
_____
_____

☐ DM2 HTN HLD	☐ Chest XRAy: PNA atelectasia
☐ CAD stent CABG	☐ EKG nsr rbbb Lbbb AFib
☐ Anemia	☐ Echo
☐ AF xarelto warfarin eliquis PM	☐ CTH
☐ Asthma COPD ltot	☐ CTA
☐ BPH Prostate Ca	☐ CTP
☐ BMI	☐ CT Chest
☐ CHF EF ICD	☐ CT abdomen
☐ CKD ESRD tts wf PC AVF	☐ Cardiac Cath
☐ CVA residual weakness R L TIA	☐ Carotid doppler
☐ Dementia Aleimer Parkinson	☐ MRI brain
☐ Depression anxiety	☐ Trop ☐ BNP
☐ Hep C Hep B	☐ US dupplex
☐ Hypothyroism	☐ US abdomen
☐ HIV HART	☐ UA ☐ UCx ☐ Sputum cx
☐ Ca	☐ BCx ☐ WCx
☐ RA	☐ UTOX
☐ Seizure	☐ ERCP
☐ MDRO	☐ MRCP
☐ Allergy: PNC, ASA,	
☐ ETOH Drug Smoker	

ABX	PAIN
☐ Acyclovir	☐ Gabapentin
☐ Augmentin	☐ Hydromorphone
☐ Azitromycin	☐ Methadone
☐ Aztreonam	☐ Morphine
☐ Cefaclor	☐ Percocet /Oxycodone
☐ Cefepime	☐ Toradol
☐ Cefdenir	☐ Tramadol
☐ Ceftri xone	☐ Tylenol
☐ Ciprofloxacine	
☐ Clindamycin	

☐ Wound care ☐ SW	
☐ Speach ☐ PT	

☐ Dvt prophylaxis	
☐ Hep drip	

HTN	PULMONAR	ABX (cont.)	GI
☐ Amlodipine	☐ Albuterol	☐ Daptomycin	
☐ Amiodarone	☐ Ipatropium	☐ Doxycicline	☐ Docusate / Senna
☐ Cardiazem	☐ Budesonine	☐ Levofloxacin	☐ Famotidine
☐ Carvedilol	☐ Levalbuterol	☐ Flagyl	☐ Lactulose
☐ Clonidine	☐ Prednisone	☐ Fluconazol	☐ Octeotride
☐ Entresto	☐ Solumedrol	☐ Meropenem	☐ Propanolol
☐ Lisinopril Enalapril	☐ Dexamethasone	☐ Valacyclovir	☐ Pantoprazole /ome/eso/famotidine
☐ HCTZ		☐ Vancomycin	☐ Reglan Zofran
☐ Hydralazine	CARDIO	☐ Zosyn	☐ Rifaximin
☐ Labetolol	☐ Asa	☐ Zivox	☐ Spironolactone
☐ Lasix bumex	☐ Eliquis	DM2	PSYCH
☐ Lisinopril	☐ Lipitor /simvastatin/	☐ Glargine	☐ Ati an
☐ Losartan	☐ Lovenox	☐ Iss	☐ Benadryl
☐ Metolazone	☐ Plavix	☐ Lispro	☐ Carbidopa/Levodopa
☐ Metop T	☐ Ranexa	☐ Calcium	☐ Citalopram
☐ Metop S	☐ Warfarin	☐ Fe	☐ Clonazepam
☐ Nifedipine	☐ Xarelto	☐ FA B1 B12 C zinc	☐ Donezepil
☐ Verapamil	URO	☐ Vit D	☐ Librium
THYROID	☐ Finasteride	☐ MVT	☐ Mirtazapine
☐ Levothyroxine	☐ Tamsulosin	NEURO	☐ Quetiapine
☐ Methymazole		☐ Acid valproic	☐ Sertraline Paroxetine
☐ Propylthiouracil		☐ Keppra	☐ Trazodone
		☐ Phenytoin	☐ Xanax

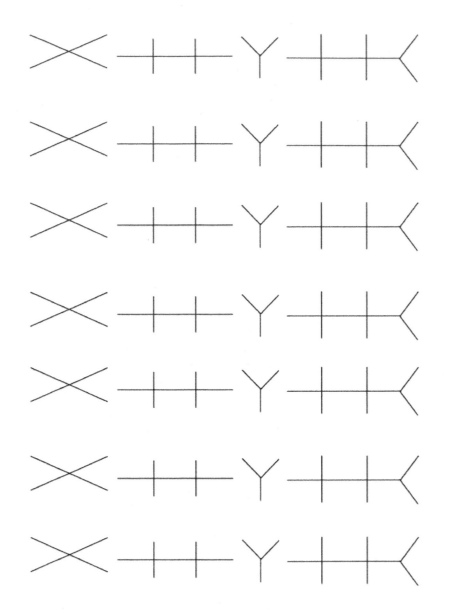

Name	Reason of admission
Neuro	Sedation: Precedex Fentanyl Propofol Versed
Cardio	Vasopressors: Levophed Phenylephrine Epinephrine Vasopresine Amiodarone: Cardizem: Nifedipine:
Respiratory	Ventilator: NC VM NR Hi flow Bipap Ventilator : / / / Trach: Muscle relaxant: Rocuronium Nimbex
Endo	Insulin drip:
GU/Nephrology	IV Fluids: NS LR D5 NS D5 LR D5 0.45% NS
Heme	FOLEY
ID	LINE: RIJ LIJ RF LF SHYLEY Midline PICC line
GI	FEEDINGS: NGT PEG
General measure	
Dvt Proph PPI proph Diet	

NAME: _____

Admited for: _____

_____

_____

☐ DM2 HTN HLD	☐ Chest XRAy: PNA atelectasia
☐ CAD stent CABG	☐ EKG nsr rbbb Lbbb AFib
☐ Anemia	☐ Echo
☐ AF xarelto warfarin eliquis PM	☐ CTH
☐ Asthma COPD ltot	☐ CTA
☐ BPH Prostate Ca	☐ CTP
☐ BMI	☐ CT Chest
☐ CHF EF ICD	☐ CT abdomen
☐ CKD ESRD tts wf PC AVF	☐ Cardiac Cath
☐ CVA residual weakness R L TIA	☐ Carotid doppler
☐ Dementia Aleimer Parkinson	☐ MRI brain
☐ Depression anxiety	☐ Trop ☐ BNP
☐ Hep C Hep B	☐ US dupplex
☐ Hypothyroism	☐ US abdomen
☐ HIV HART	☐ UA ☐ UCx ☐ Sputum cx
☐ Ca	☐ BCx ☐ WCx
☐ RA	☐ UTOX
☐ Seizure	☐ ERCP
☐ MDRO	☐ MRCP
☐ Allergy: PNC, ASA,	

☐ ETOH   Drug   Smoker

☐ Wound care   ☐ SW
☐ Speach   ☐ PT

☐ Dvt prophylaxis
☐ Hep drip

ABX	PAIN
☐ Acyclovir	☐ Gabapentin
☐ Augmentin	☐ Hydromorphone
☐ Azitromycin	☐ Methadone
☐ Aztreonam	☐ Morphine
☐ Cefaclor	☐ Percocet /Oxycodone
☐ Cefepime	☐ Toradol
☐ Cefdenir	☐ Tramadol
☐ Ceftri xone	☐ Tylenol
☐ Ciprofloxacine	
☐ Clindamycin	
☐ Daptomycin	GI
☐ Doxycicline	☐ Docusate / Senna
☐ Levofloxacin	☐ Famotidine
☐ Flagyl	☐ Lactulose
☐ Fluconazol	☐ Octeotride
☐ Meropenem	☐ Propanolol
☐ Valacyclovir	☐ Pantoprazole /ome/eso/famotidine
☐ Vancomycin	☐ Reglan Zofran
☐ Zosyn	☐ Rifaximin
☐ Zivox	☐ Spironolactone

HTN	PULMONAR
☐ Amlodipine	☐ Albuterol
☐ Amiodarone	☐ Ipatropium
☐ Cardiazem	☐ Budesonine
☐ Carvedilol	☐ Levalbuterol
☐ Clonidine	☐ Prednisone
☐ Entresto	☐ Solumedrol
☐ Lisinopril Enalapril	☐ Dexamethasone
☐ HCTZ	CARDIO
☐ Hydralazine	☐ Asa
☐ Labetolol	☐ Eliquis
☐ Lasix bumex	☐ Lipitor /simvastatin/
☐ Lisinopril	☐ Lovenox
☐ Losartan	☐ Plavix
☐ Metolazone	☐ Ranexa
☐ Metop T	☐ Warfarin
☐ Metop S	☐ Xarelto
☐ Nifedipine	URO
☐ Verapamil	☐ Finasteride

DM2	PSYCH
☐ Glargine	☐ Ati an
☐ Iss	☐ Benadryl
☐ Lispro	☐ Carbidopa/Levodopa
☐ Calcium	☐ Citalopram
☐ Fe	☐ Clonazepam
☐ FA B1 B12 C zinc	☐ Donezepil
☐ Vit D	☐ Librium
☐ MVT	☐ Mirtazapine
	☐ Quetiapine

THYROID	
☐ Levothyroxine	☐ Tamsulosin
☐ Methymazole	
☐ Propylthiouracil	

NEURO	
☐ Acid valproic	☐ Sertraline Paroxetine
☐ Keppra	☐ Trazodone
☐ Phenytoin	☐ Xanax

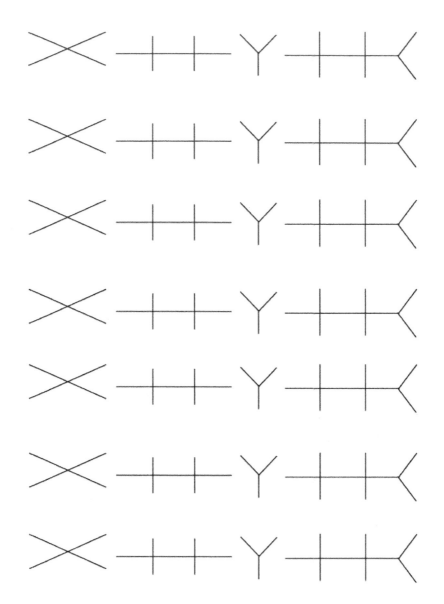

Name	Reason of admission
Neuro	Sedation: Precedex
	Fentanyl
	Propofol
	Versed
Cardio	Vasopressors: Levophed
	Phenylephrine
	Epinephrine
	Vasopresine
	Amiodarone:
	Cardizem:
	Nifedipine:
Respiratory	Ventlator: NC
	VM
	NR
	Hi flow
	Bipap
	Ventilator : / / /
	Trach:
	Muscle relaxant: Rocuronium
	Nimbex
Endo	Insulin drip:
GU/Nephrology	IV Fluids: NS
	LR
	D5
	NS D5
	LR D5
	0.45% NS
Heme	FOLEY
ID	LINE: RIJ LIJ
	RF LF
	SHYLEY
	Midline PICC line
GI	FEEDINGS: NGT
	PEG
General measure	
Dvt Proph	
PPI proph	
Diet	

NAME: _____

Admitted for: _____

_____

_____

☐ DM2 HTN HLD	☐ Chest XRAy: PNA atelectasia	
☐ CAD stent CABG	☐ EKG nsr rbbb Lbbb AFib	
☐ Anemia	☐ Echo	
☐ AF xarelto warfarin eliquis PM	☐ CTH	
☐ Asthma COPD ltot	☐ CTA	
☐ BPH Prostate Ca	☐ CTP	
☐ BMI	☐ CT Chest	
☐ CHF EF ICD	☐ CT abdomen	
☐ CKD ESRD tts wf PC AVF	☐ Cardiac Cath	
☐ CVA residual weakness R L TIA	☐ Carotid doppler	
☐ Dementia Aleimer Parkinson	☐ MRI brain	
☐ Depression anxiety	☐ Trop	☐ BNP
☐ Hep C Hep B	☐ US dupplex	
☐ Hypothyroism	☐ US abdomen	
☐ HIV HART	☐ UA ☐ UCx ☐ Sputum cx	
☐ Ca	☐ BCx ☐ WCx	
☐ RA	☐ UTOX	
☐ Seizure	☐ ERCP	
☐ MDRO	☐ MRCP	
☐ Allergy: PNC, ASA,		
☐ ETOH Drug Smoker		

ABX	PAIN
☐ Acyclovir	☐ Gabapentin
☐ Augmentin	☐ Hydromorphone
☐ Azitromycin	☐ Methadone
☐ Aztreonam	☐ Morphine
☐ Cefaclor	☐ Percocet /Oxycodone
☐ Cefepime	☐ Toradol
☐ Cefdenir	☐ Tramadol
☐ Ceftri xone	☐ Tylenol
☐ Ciprofloxacine	
☐ Clindamycin	

☐ Wound care ☐ SW	
☐ Speach ☐ PT	

☐ Dvt prophylaxis	
☐ Hep drip	

HTN	PULMONAR
☐ Amlodipine	☐ Albuterol
☐ Amiodarone	☐ Ipatropium
☐ Cardiazem	☐ Budesonine
☐ Carvedilol	☐ Levalbuterol
☐ Clonidine	☐ Prednisone
☐ Entresto	☐ Solumedrol
☐ Lisinopril Enalapril	☐ Dexamethasone
☐ HCTZ	
☐ Hydralazine	CARDIO
☐ Labetolol	☐ Asa
☐ Lasix bumex	☐ Eliquis
☐ Lisinopril	☐ Lipitor /simvastatin/
☐ Losartan	☐ Lovenox
☐ Metolazone	☐ Plavix
☐ Metop T	☐ Ranexa
☐ Metop S	☐ Warfarin
☐ Nifedipine	☐ Xarelto
☐ Verapamil	

ABX (cont.)	GI
☐ Daptomycin	☐ Docusate / Senna
☐ Doxycicline	☐ Famotidine
☐ Levofloxacin	☐ Lactulose
☐ Flagyl	☐ Octeotride
☐ Fluconazol	☐ Propanolol
☐ Meropenem	☐ Pantoprazole /ome/eso/famotidine
☐ Valacyclovir	☐ Reglan Zofran
☐ Vancomycin	☐ Rifaximin
☐ Zosyn	☐ Spironolactone
☐ Zivox	

DM2	PSYCH
☐ Glargine	☐ Ati an
☐ Iss	☐ Benadryl
☐ Lispro	☐ Carbidopa/Levodopa
☐ Calcium	☐ Citalopram
☐ Fe	☐ Clonazepam
☐ FA B1 B12 C zinc	☐ Donezepil
☐ Vit D	☐ Librium
☐ MVT	☐ Mirtazapine

THYROID	URO	NEURO	PSYCH (cont.)
☐ Levothyroxine	☐ Finasteride	☐ Acid valproic	☐ Quetiapine
☐ Methymazole	☐ Tamsulosin	☐ Keppra	☐ Sertraline Paroxetine
☐ Propylthiouracil		☐ Phenytoin	☐ Trazodone
			☐ Xanax

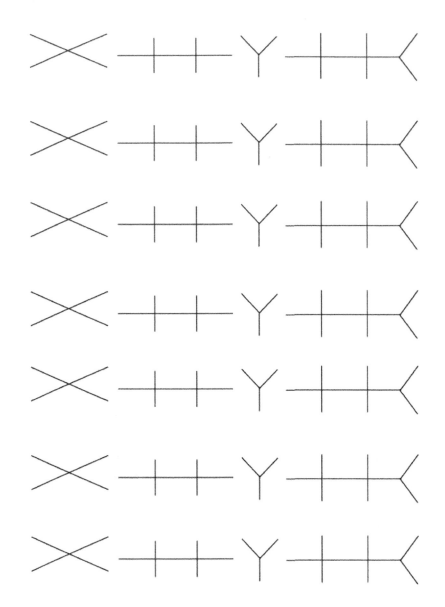

Name	Reason of admission
Neuro	Sedation: Precedex
	Fentanyl
	Propofol
	Versed
Cardio	Vasopressors: Levophed
	Phenylephrine
	Epinephrine
	Vasopresine
	Amiodarone:
	Cardizem:
	Nifedipine:
Respiratory	Ventilator: NC
	VM
	NR
	Hi flow
	Bipap
	Ventilator : / / /
	Trach:
	Muscle relaxant: Rocuronium
	Nimbex
Endo	Insulin drip:
GU/Nephrology	IV Fluids: NS
	LR
	D5
	NS D5
	LR D5
	0.45% NS
Heme	FOLEY
ID	LINE: RIJ LIJ
	RF LF
	SHYLEY
	Midline PICC line
GI	FEEDINGS: NGT
	PEG
General measure	
Dvt Proph	
PPI proph	
Diet	

NAME: _____
Admited for: _____

☐ DM2 HTN HLD	☐ Chest XRAy: PNA atelectasia
☐ CAD stent CABG	☐ EKG nsr rbbb Lbbb AFib
☐ Anemia	☐ Echo
☐ AF xarelto warfarin eliquis PM	☐ CTH
☐ Asthma COPD ltot	☐ CTA
☐ BPH Prostate Ca	☐ CTP
☐ BMI	☐ CT Chest
☐ CHF EF ICD	☐ CT abdomen
☐ CKD ESRD tts wf PC AVF	☐ Cardiac Cath
☐ CVA residual weakness R L TIA	☐ Carotid doppler
☐ Dementia Aleimer Parkinson	☐ MRI brain
☐ Depression anxiety	☐ Trop ☐ BNP
☐ Hep C Hep B	☐ US dupplex
☐ Hypothyroism	☐ US abdomen
☐ HIV HART	☐ UA ☐ UCx ☐ Sputum cx
☐ Ca	☐ BCx ☐ WCx
☐ RA	☐ UTOX
☐ Seizure	☐ ERCP
☐ MDRO	☐ MRCP
☐ Allergy: PNC, ASA,	
☐ ETOH Drug Smoker	

ABX / **PAIN**

ABX	PAIN
☐ Acyclovir	☐ Gabapentin
☐ Augmentin	☐ Hydromorphone
☐ Azitromycin	☐ Methadone
☐ Aztreonam	☐ Morphine
☐ Cefaclor	☐ Percocet /Oxycodone
☐ Cefepime	☐ Toradol
☐ Cefdenir	☐ Tramadol
☐ Ceftri xone	☐ Tylenol
☐ Ciprofloxacine	
☐ Clindamycin	**GI**
☐ Daptomycin	
☐ Doxycicline	☐ Docusate / Senna
☐ Levofloxacin	☐ Famotidine
☐ Flagyl	☐ Lactulose
☐ Fluconazol	☐ Octeotride
☐ Meropenem	☐ Propanolol
☐ Valacyclovir	☐ Pantoprazole /ome/eso/famotidine
☐ Vancomycin	☐ Reglan Zofran
☐ Zosyn	☐ Rifaximin
☐ Zivox	☐ Spironolactone

Other sections:

☐ Wound care   ☐ SW
☐ Speach   ☐ PT

☐ Dvt prophylaxis
☐ Hep drip

HTN
☐ Amlodipine
☐ Amiodarone
☐ Cardiazem
☐ Carvedilol
☐ Clonidine
☐ Entresto
☐ Lisinopril Enalapril
☐ HCTZ
☐ Hydralazine
☐ Labetolol
☐ Lasix bumex
☐ Lisinopril
☐ Losartan
☐ Metolazone
☐ Metop T
☐ Metop S
☐ Nifedipine
☐ Verapamil

THYROID
☐ Levothyroxine
☐ Methymazole
☐ Propylthiouracil

PULMONAR
☐ Albuterol
☐ Ipatropium
☐ Budesonine
☐ Levalbuterol
☐ Prednisone
☐ Solumedrol
☐ Dexamethasone

CARDIO
☐ Asa
☐ Eliquis
☐ Lipitor /simvastatin/
☐ Lovenox
☐ Plavix
☐ Ranexa
☐ Warfarin
☐ Xarelto

URO
☐ Finasteride
☐ Tamsulosin

DM2
☐ Glargine
☐ Iss
☐ Lispro
☐ Calcium
☐ Fe
☐ FA   B1 B12 C zinc
☐ Vit D
☐ MVT

NEURO
☐ Acid valproic
☐ Keppra
☐ Phenytoin

PSYCH
☐ Ati an
☐ Benadryl
☐ Carbidopa/Levodopa
☐ Citalopram
☐ Clonazepam
☐ Donezepil
☐ Librium
☐ Mirtazapine
☐ Quetiapine
☐ Sertraline   Paroxetine
☐ Trazodone
☐ Xanax

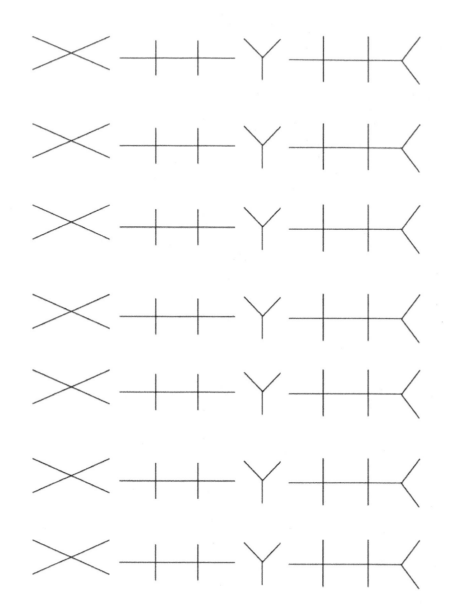

Name	Reason of admission
Neuro	Sedation: Precedex
	Fentanyl
	Propofol
	Versed
Cardio	Vasopressors: Levophed
	Phenylephrine
	Epinephrine
	Vasopresine
	Amiodarone:
	Cardizem:
	Nifedipine:
Respiratory	Ventilator: NC
	VM
	NR
	Hi flow
	Bipap
	Ventilator : / / /
	Trach:
	Muscle relaxant: Rocuronium
	Nimbex
Endo	Insulin drip:
GU/Nephrology	IV Fluids: NS
	LR
	D5
	NS D5
	LR D5
	0.45% NS
Heme	FOLEY
ID	LINE: RIJ LIJ
	RF LF
	SHYLEY
	Midline PICC line
GI	FEEDINGS: NGT
	PEG
General measure	
Dvt Proph	
PPI proph	
Diet	

NAME: _____

Admited for: _____
_____
_____

☐ DM2 HTN HLD	☐ Chest XRAy: PNA atelectasia
☐ CAD stent CABG	☐ EKG nsr rbbb Lbbb AFib
☐ Anemia	☐ Echo
☐ AF xarelto warfarin eliquis PM	☐ CTH
☐ Asthma COPD ltot	☐ CTA
☐ BPH Prostate Ca	☐ CTP
☐ BMI	☐ CT Chest
☐ CHF EF ICD	☐ CT abdomen
☐ CKD ESRD tts wf PC AVF	☐ Cardiac Cath
☐ CVA residual weakness R L TIA	☐ Carotid doppler
☐ Dementia Aleimer Parkinson	☐ MRI brain
☐ Depression anxiety	☐ Trop ☐ BNP
☐ Hep C Hep B	☐ US dupplex
☐ Hypothyroism	☐ US abdomen
☐ HIV HART	☐ UA ☐ UCx ☐ Sputum cx
☐ Ca	☐ BCx ☐ WCx
☐ RA	☐ UTOX
☐ Seizure	☐ ERCP
☐ MDRO	☐ MRCP
☐ Allergy: PNC, ASA,	

☐ ETOH Drug Smoker	

☐ Wound care	☐ SW
☐ Speach	☐ PT

☐ Dvt prophylaxis
☐ Hep drip

ABX — **PAIN**

ABX	PAIN
☐ Acyclovir	☐ Gabapentin
☐ Augmentin	☐ Hydromorphone
☐ Azitromycin	☐ Methadone
☐ Aztreonam	☐ Morphine
☐ Cefaclor	☐ Percocet /Oxycodone
☐ Cefepime	☐ Toradol
☐ Cefdenir	☐ Tramadol
☐ Ceftri xone	☐ Tylenol
☐ Ciprofloxacine	
☐ Clindamycin	**GI**
☐ Daptomycin	
☐ Doxycicline	☐ Docusate / Senna
☐ Levofloxacin	☐ Famotidine
☐ Flagyl	☐ Lactulose
☐ Fluconazol	☐ Octeotride
☐ Meropenem	☐ Propanolol
☐ Valacyclovir	☐ Pantoprazole /ome/eso/famotidine
☐ Vancomycin	☐ Reglan Zofran
☐ Zosyn	☐ Rifaximin
☐ Zivox	☐ Spironolactone

HTN — **PULMONAR**

HTN	PULMONAR
☐ Amlodipine	☐ Albuterol
☐ Amiodarone	☐ Ipatropium
☐ Cardiazem	☐ Budesonine
☐ Carvedilol	☐ Levalbuterol
☐ Clonidine	☐ Prednisone
☐ Entresto	☐ Solumedrol
☐ Lisinopril Enalapril	☐ Dexamethasone
☐ HCTZ	
☐ Hydralazine	**CARDIO**
☐ Labetolol	☐ Asa
☐ Lasix bumex	☐ Eliquis
☐ Lisinopril	☐ Lipitor /simvastatin/
☐ Losartan	☐ Lovenox
☐ Metolazone	☐ Plavix
☐ Metop T	☐ Ranexa
☐ Metop S	☐ Warfarin
☐ Nifedipine	☐ Xarelto
☐ Verapamil	

DM2

☐ Glargine	
☐ Iss	
☐ Lispro	**PSYCH**
☐ Calcium	☐ Ati an
☐ Fe	☐ Benadryl
☐ FA B1 B12 C zinc	☐ Carbidopa/Levodopa
☐ Vit D	☐ Citalopram
☐ MVT	☐ Clonazepam

THYROID — **URO** — **NEURO**

THYROID	URO	NEURO
☐ Levothyroxine	☐ Finasteride	☐ Acid valproic
☐ Methymazole	☐ Tamsulosin	☐ Keppra
☐ Propylthiouracil		☐ Phenytoin

PSYCH

☐ Donezepil
☐ Librium
☐ Mirtazapine
☐ Quetiapine
☐ Sertraline   Paroxetine
☐ Trazodone
☐ Xanax

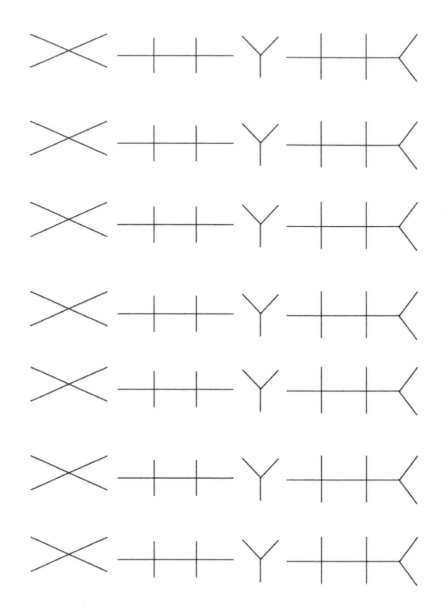

Name	Reason of admission
Neuro	Sedation: Precedex Fentanyl Propofol Versed
Cardio	Vasopressors: Levophed Phenylephrine Epinephrine Vasopresine Amiodarone: Cardizem: Nifedipine:
Respiratory	Ventlator: NC VM NR Hi flow Bipap Ventilator : / / / Trach: Muscle relaxant: Rocuronium Nimbex
Endo	Insulin drip:
GU/Nephrology	IV Fluids: NS LR D5 NS D5 LR D5 0.45% NS
Heme	FOLEY
ID	LINE: RIJ LIJ RF LF SHYLEY Midline PICC line
GI	FEEDINGS: NGT PEG
General measure Dvt Proph PPI proph Diet	

NAME: _____
Admited for: _____

☐ DM2 HTN HLD	☐ Chest XRAy: PNA atelectasia	
☐ CAD stent CABG	☐ EKG nsr rbbb Lbbb AFib	
☐ Anemia	☐ Echo	
☐ AF xarelto warfarin eliquis PM	☐ CTH	
☐ Asthma COPD ltot	☐ CTA	
☐ BPH Prostate Ca	☐ CTP	
☐ BMI	☐ CT Chest	
☐ CHF EF ICD	☐ CT abdomen	
☐ CKD ESRD tts wf PC AVF	☐ Cardiac Cath	
☐ CVA residual weakness R L TIA	☐ Carotid doppler	
☐ Dementia Aleimer Parkinson	☐ MRI brain	
☐ Depression anxiety	☐ Trop	☐ BNP
☐ Hep C Hep B	☐ US dupplex	
☐ Hypothyroism	☐ US abdomen	
☐ HIV HART	☐ UA ☐ UCx ☐ Sputum cx	
☐ Ca	☐ BCx ☐ WCx	
☐ RA	☐ UTOX	
☐ Seizure	☐ ERCP	
☐ MDRO	☐ MRCP	
☐ Allergy: PNC, ASA,		
☐ ETOH Drug Smoker		

☐ Wound care   ☐ SW
☐ Speach   ☐ PT

☐ Dvt prophylaxis
☐ Hep drip

ABX	PAIN
☐ Acyclovir	☐ Gabapentin
☐ Augmentin	☐ Hydromorphone
☐ Azitromycin	☐ Methadone
☐ Aztreonam	☐ Morphine
☐ Cefaclor	☐ Percocet /Oxycodone
☐ Cefepime	☐ Toradol
☐ Cefdenir	☐ Tramadol
☐ Ceftri xone	☐ Tylenol
☐ Ciprofloxacine	
☐ Clindamycin	GI
☐ Daptomycin	
☐ Doxycicline	☐ Docusate / Senna
☐ Levofloxacin	☐ Famotidine
☐ Flagyl	☐ Lactulose
☐ Fluconazol	☐ Octeotride
☐ Meropenem	☐ Propanolol
☐ Valacyclovir	☐ Pantoprazole /ome/eso/famotidine
☐ Vancomycin	☐ Reglan Zofran
☐ Zosyn	☐ Rifaximin
☐ Zivox	☐ Spironolactone

HTN	PULMONAR
☐ Amlodipine	☐ Albuterol
☐ Amiodarone	☐ Ipatropium
☐ Cardiazem	☐ Budesonine
☐ Carvedilol	☐ Levalbuterol
☐ Clonidine	☐ Prednisone
☐ Entresto	☐ Solumedrol
☐ Lisinopril Enalapril	☐ Dexamethasone
☐ HCTZ	
☐ Hydralazine	CARDIO
☐ Labetolol	☐ Asa
☐ Lasix bumex	☐ Eliquis
☐ Lisinopril	☐ Lipitor /simvastatin/
☐ Losartan	☐ Lovenox
☐ Metolazone	☐ Plavix
☐ Metop T	☐ Ranexa
☐ Metop S	☐ Warfarin
☐ Nifedipine	☐ Xarelto
☐ Verapamil	URO

DM2	PSYCH
☐ Glargine	☐ Ati an
☐ Iss	☐ Benadryl
☐ Lispro	☐ Carbidopa/Levodopa
☐ Calcium	☐ Citalopram
☐ Fe	☐ Clonazepam
☐ FA B1 B12 C zinc	☐ Donezepil
☐ Vit D	☐ Librium
☐ MVT	☐ Mirtazapine
NEURO	☐ Quetiapine
☐ Acid valproic	☐ Sertraline Paroxetine
☐ Keppra	☐ Trazodone
☐ Phenytoin	☐ Xanax

THYROID	URO
☐ Levothyroxine	☐ Finasteride
☐ Methymazole	☐ Tamsulosin
☐ Propylthiouracil	

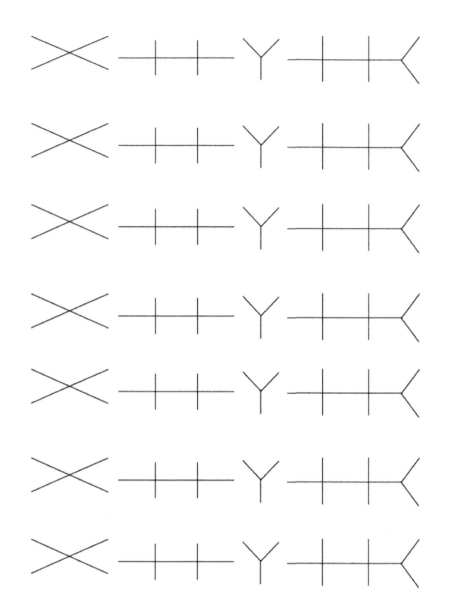

Name	Reason of admission
Neuro	Sedation: Precedex
	Fentanyl
	Propofol
	Versed
Cardio	Vasopressors: Levophed
	Phenylephrine
	Epinephrine
	Vasopresine
	Amiodarone:
	Cardizem:
	Nifedipine:
Respiratory	Ventlator: NC
	VM
	NR
	Hi flow
	Bipap
	Ventilator : / / /
	Trach:
	Muscle relaxant: Rocuronium
	Nimbex
Endo	Insulin drip:
GU/Nephrology	IV Fluids: NS
	LR
	D5
	NS D5
	LR D5
	0.45% NS
Heme	FOLEY
ID	LINE: RIJ LIJ
	RF LF
	SHYLEY
	Midline PICC line
GI	FEEDINGS: NGT
	PEG
General measure	
Dvt Proph	
PPI proph	
Diet	

NAME: _____
Admited for: _____
_____
_____

☐ DM2 HTN HLD	☐ Chest XRAy: PNA atelectasia
☐ CAD stent CABG	☐ EKG nsr rbbb Lbbb AFib
☐ Anemia	☐ Echo
☐ AF xarelto warfarin eliquis PM	☐ CTH
☐ Asthma COPD ltot	☐ CTA
☐ BPH Prostate Ca	☐ CTP
☐ BMI	☐ CT Chest
☐ CHF EF ICD	☐ CT abdomen
☐ CKD ESRD tts wf PC AVF	☐ Cardiac Cath
☐ CVA residual weakness R L TIA	☐ Carotid doppler
☐ Dementia Aleimer Parkinson	☐ MRI brain
☐ Depression anxiety	☐ Trop ☐ BNP
☐ Hep C Hep B	☐ US dupplex
☐ Hypothyroism	☐ US abdomen
☐ HIV HART	☐ UA ☐ UCx ☐ Sputum cx
☐ Ca	☐ BCx ☐ WCx
☐ RA	☐ UTOX
☐ Seizure	☐ ERCP
☐ MDRO	☐ MRCP
☐ Allergy: PNC, ASA,	

☐ ETOH   Drug   Smoker

☐ Wound care	☐ SW
☐ Speach	☐ PT

☐ Dvt prophylaxis
☐ Hep drip

ABX	PAIN
☐ Acyclovir	☐ Gabapentin
☐ Augmentin	☐ Hydromorphone
☐ Azitromycin	☐ Methadone
☐ Aztreonam	☐ Morphine
☐ Cefaclor	☐ Percocet /Oxycodone
☐ Cefepime	☐ Toradol
☐ Cefdenir	☐ Tramadol
☐ Ceftri xone	☐ Tylenol
☐ Ciprofloxacine	
☐ Clindamycin	GI
☐ Daptomycin	

HTN	PULMONAR
☐ Amlodipine	☐ Albuterol
☐ Amiodarone	☐ Ipatropium
☐ Cardiazem	☐ Budesonine
☐ Carvedilol	☐ Levalbuterol
☐ Clonidine	☐ Prednisone
☐ Entresto	☐ Solumedrol
☐ Lisinopril Enalapril	☐ Dexamethasone
☐ HCTZ	
☐ Hydralazine	CARDIO
☐ Labetolol	☐ Asa
☐ Lasix bumex	☐ Eliquis
☐ Lisinopril	☐ Lipitor /simvastatin/
☐ Losartan	☐ Lovenox
☐ Metolazone	☐ Plavix
☐ Metop T	☐ Ranexa
☐ Metop S	☐ Warfarin
☐ Nifedipine	☐ Xarelto
☐ Verapamil	URO

☐ Doxycicline	☐ Docusate / Senna
☐ Levofloxacin	☐ Famotidine
☐ Flagyl	☐ Lactulose
☐ Fluconazol	☐ Octeotride
☐ Meropenem	☐ Propanolol
☐ Valacyclovir	☐ Pantoprazole /ome/eso/famotidine
☐ Vancomycin	☐ Reglan Zofran
☐ Zosyn	☐ Rifaximin
☐ Zivox	☐ Spironolactone

DM2	PSYCH
☐ Glargine	☐ Ati an
☐ Iss	☐ Benadryl
☐ Lispro	☐ Carbidopa/Levodopa
☐ Calcium	☐ Citalopram
☐ Fe	☐ Clonazepam
☐ FA B1 B12 C zinc	☐ Donezepil
☐ Vit D	☐ Librium
☐ MVT	☐ Mirtazapine

THYROID	URO
☐ Levothyroxine	☐ Finasteride
☐ Methymazole	☐ Tamsulosin
☐ Propylthiouracil	

NEURO	
☐ Acid valproic	☐ Quetiapine
☐ Keppra	☐ Sertraline Paroxetine
☐ Phenytoin	☐ Trazodone
	☐ Xanax

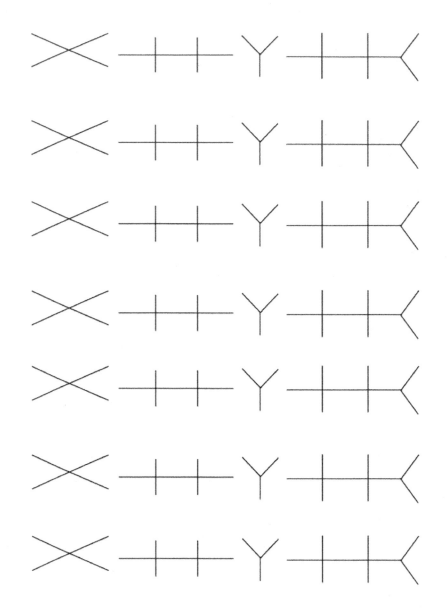

Name	Reason of admission
Neuro	Sedation: Precedex Fentanyl Propofol Versed
Cardio	Vasopressors: Levophed Phenylephrine Epinephrine Vasopresine Amiodarone: Cardizem: Nifedipine:
Respiratory	Ventlator: NC VM NR Hi flow Bipap Ventlator : / / / Trach: Muscle relaxant: Rocuronium Nimbex
Endo	Insulin drip:
GU/Nephrology	IV Fluids: NS LR D5 NS D5 LR D5 0.45% NS
Heme	FOLEY
ID	LINE: RIJ LIJ RF LF SHYLEY Midline PICC line
GI	FEEDINGS: NGT PEG
General measure	
Dvt Proph PPI proph Diet	

NAME: _____

Admited for: _____

_____
_____

☐ DM2 HTN HLD	☐ Chest XRAy: PNA atelectasia	
☐ CAD stent CABG	☐ EKG nsr rbbb Lbbb AFib	
☐ Anemia	☐ Echo	
☐ AF xarelto warfarin eliquis PM	☐ CTH	
☐ Asthma COPD ltot	☐ CTA	
☐ BPH Prostate Ca	☐ CTP	
☐ BMI	☐ CT Chest	
☐ CHF EF ICD	☐ CT abdomen	
☐ CKD ESRD tts wf PC AVF	☐ Cardiac Cath	
☐ CVA residual weakness R L TIA	☐ Carotid doppler	
☐ Dementia Aleimer Parkinson	☐ MRI brain	
☐ Depression anxiety	☐ Trop	☐ BNP
☐ Hep C Hep B	☐ US dupplex	
☐ Hypothyroism	☐ US abdomen	
☐ HIV HART	☐ UA ☐ UCx ☐ Sputum cx	
☐ Ca	☐ BCx ☐ WCx	
☐ RA	☐ UTOX	
☐ Seizure	☐ ERCP	
☐ MDRO	☐ MRCP	
☐ Allergy: PNC, ASA,		
☐ ETOH Drug Smoker		

ABX	PAIN
☐ Acyclovir	☐ Gabapentin
☐ Augmentin	☐ Hydromorphone
☐ Azitromycin	☐ Methadone
☐ Aztreonam	☐ Morphine
☐ Cefaclor	☐ Percocet /Oxycodone
☐ Cefepime	☐ Toradol
☐ Cefdenir	☐ Tramadol
☐ Ceftri xone	☐ Tylenol
☐ Ciprofloxacine	
☐ Clindamycin	

☐ Wound care	☐ SW
☐ Speach	☐ PT

☐ Dvt prophylaxis
☐ Hep drip

HTN	PULMONAR	ABX	PAIN
☐ Amlodipine	☐ Albuterol	☐ Daptomycin	GI
☐ Amiodarone	☐ Ipatropium	☐ Doxycicline	☐ Docusate / Senna
☐ Cardiazem	☐ Budesonine	☐ Levofloxacin	☐ Famotidine
☐ Carvedilol	☐ Levalbuterol	☐ Flagyl	☐ Lactulose
☐ Clonidine	☐ Prednisone	☐ Fluconazol	☐ Octeotride
☐ Entresto	☐ Solumedrol	☐ Meropenem	☐ Propanolol
☐ Lisinopril Enalapril	☐ Dexamethasone	☐ Valacyclovir	☐ Pantoprazole /ome/eso/famotidine
☐ HCTZ		☐ Vancomycin	☐ Reglan Zofran
☐ Hydralazine	CARDIO	☐ Zosyn	☐ Rifaximin
☐ Labetolol	☐ Asa	☐ Zivox	☐ Spironolactone
☐ Lasix bumex	☐ Eliquis	DM2	PSYCH
☐ Lisinopril	☐ Lipitor /simvastatin/	☐ Glargine	☐ Ati an
☐ Losartan	☐ Lovenox	☐ Iss	☐ Benadryl
☐ Metolazone	☐ Plavix	☐ Lispro	☐ Carbidopa/Levodopa
☐ Metop T	☐ Ranexa	☐ Calcium	☐ Citalopram
☐ Metop S	☐ Warfarin	☐ Fe	☐ Clonazepam
☐ Nifedipine	☐ Xarelto	☐ FA B1 B12 C zinc	☐ Donezepil
☐ Verapamil	URO	☐ Vit D	☐ Librium
THYROID	☐ Finasteride	☐ MVT	☐ Mirtazapine
☐ Levothyroxine	☐ Tamsulosin	NEURO	☐ Quetiapine
☐ Methymazole		☐ Acid valproic	☐ Sertraline Paroxetine
☐ Propylthiouracil		☐ Keppra	☐ Trazodone
		☐ Phenytoin	☐ Xanax

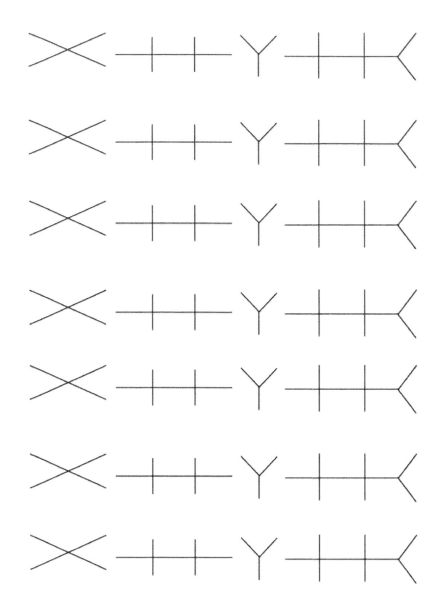

Name	Reason of admission
Neuro	Sedation: Precedex Fentanyl Propofol Versed
Cardio	Vasopressors: Levophed Phenylephrine Epinephrine Vasopresine Amiodarone: Cardizem: Nifedipine:
Respiratory	Ventlator: NC VM NR Hi flow Bipap Ventilator : / / / Trach: Muscle relaxant: Rocuronium Nimbex
Endo	Insulin drip:
GU/Nephrology	IV Fluids: NS LR D5 NS D5 LR D5 0.45% NS
Heme	FOLEY
ID	LINE: RIJ LIJ RF LF SHYLEY Midline PICC line
GI	FEEDINGS: NGT PEG
General measure	
Dvt Proph PPI proph Diet	

NAME: _____

Admitted for: _____

_____

_____

☐ DM2 HTN HLD	☐ Chest XRAy: PNA atelectasia
☐ CAD stent CABG	☐ EKG nsr rbbb Lbbb AFib
☐ Anemia	☐ Echo
☐ AF xarelto warfarin eliquis PM	☐ CTH
☐ Asthma COPD ltot	☐ CTA
☐ BPH Prostate Ca	☐ CTP
☐ BMI	☐ CT Chest
☐ CHF EF ICD	☐ CT abdomen
☐ CKD ESRD tts wf PC AVF	☐ Cardiac Cath
☐ CVA residual weakness R L TIA	☐ Carotid doppler
☐ Dementia Aleimer Parkinson	☐ MRI brain
☐ Depression anxiety	☐ Trop ☐ BNP
☐ Hep C Hep B	☐ US dupplex
☐ Hypothyroism	☐ US abdomen
☐ HIV HART	☐ UA ☐ UCx ☐ Sputum cx
☐ Ca	☐ BCx ☐ WCx
☐ RA	☐ UTOX
☐ Seizure	☐ ERCP
☐ MDRO	☐ MRCP
☐ Allergy: PNC, ASA,	
☐ ETOH Drug Smoker	

ABX	PAIN
☐ Acyclovir	☐ Gabapentin
☐ Augmentin	☐ Hydromorphone
☐ Azitromycin	☐ Methadone
☐ Aztreonam	☐ Morphine
☐ Cefaclor	☐ Percocet /Oxycodone
☐ Cefepime	☐ Toradol
☐ Cefdenir	☐ Tramadol
☐ Ceftri xone	☐ Tylenol
☐ Ciprofloxacine	
☐ Clindamycin	GI
☐ Daptomycin	☐ Docusate / Senna
☐ Doxycicline	☐ Famotidine
☐ Levofloxacin	☐ Lactulose
☐ Flagyl	☐ Octeotride
☐ Fluconazol	☐ Propanolol
☐ Meropenem	☐ Pantoprazole /ome/eso/famotidine
☐ Valacyclovir	☐ Reglan Zofran
☐ Vancomycin	☐ Rifaximin
☐ Zosyn	☐ Spironolactone
☐ Zivox	

☐ Wound care   ☐ SW
☐ Speach   ☐ PT

☐ Dvt prophylaxis
☐ Hep drip

HTN	PULMONAR
☐ Amlodipine	☐ Albuterol
☐ Amiodarone	☐ Ipatropium
☐ Cardiazem	☐ Budesonine
☐ Carvedilol	☐ Levalbuterol
☐ Clonidine	☐ Prednisone
☐ Entresto	☐ Solumedrol
☐ Lisinopril Enalapril	☐ Dexamethasone
☐ HCTZ	
☐ Hydralazine	CARDIO
☐ Labetolol	☐ Asa
☐ Lasix bumex	☐ Eliquis
☐ Lisinopril	☐ Lipitor /simvastatin/
☐ Losartan	☐ Lovenox
☐ Metolazone	☐ Plavix
☐ Metop T	☐ Ranexa
☐ Metop S	☐ Warfarin
☐ Nifedipine	☐ Xarelto
☐ Verapamil	

DM2	PSYCH
☐ Glargine	
☐ Iss	☐ Ati an
☐ Lispro	☐ Benadryl
☐ Calcium	☐ Carbidopa/Levodopa
☐ Fe	☐ Citalopram
☐ FA B1 B12 C zinc	☐ Clonazepam
☐ Vit D	☐ Donezepil
☐ MVT	☐ Librium

THYROID	URO
☐ Levothyroxine	☐ Finasteride
☐ Methymazole	☐ Tamsulosin
☐ Propylthiouracil	

NEURO	
☐ Acid valproic	☐ Mirtazapine
☐ Keppra	☐ Quetiapine
☐ Phenytoin	☐ Sertraline Paroxetine
	☐ Trazodone
	☐ Xanax

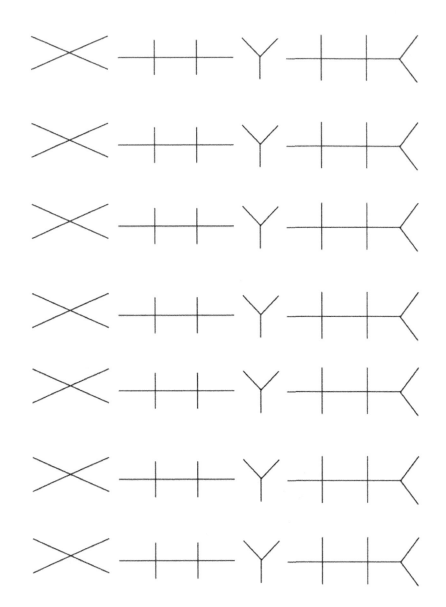

Name	Reason of admission
Neuro	Sedation: Precedex Fentanyl Propofol Versed
Cardio	Vasopressors: Levophed Phenylephrine Epinephrine Vasopresine Amiodarone: Cardizem: Nifedipine:
Respiratory	Ventlator: NC VM NR Hi flow Bipap Ventlator : / / / Trach: Muscle relaxant: Rocuronium Nimbex
Endo	Insulin drip:
GU/Nephrology	IV Fluids: NS LR D5 NS D5 LR D5 0.45% NS
Heme	FOLEY
ID	LINE: RIJ LIJ RF LF SHYLEY Midline PICC line
GI	FEEDINGS: NGT PEG
General measure	
Dvt Proph PPI proph Diet	

NAME: _____

Admited for: _____

_____

_____

☐ DM2 HTN HLD	☐ Chest XRAy: PNA atelectasia
☐ CAD stent CABG	☐ EKG nsr rbbb Lbbb AFib
☐ Anemia	☐ Echo
☐ AF xarelto warfarin eliquis PM	☐ CTH
☐ Asthma COPD ltot	☐ CTA
☐ BPH Prostate Ca	☐ CTP
☐ BMI	☐ CT Chest
☐ CHF EF ICD	☐ CT abdomen
☐ CKD ESRD tts wf PC AVF	☐ Cardiac Cath
☐ CVA residual weakness R L TIA	☐ Carotid doppler
☐ Dementia Aleimer Parkinson	☐ MRI brain
☐ Depression anxiety	☐ Trop ☐ BNP
☐ Hep C Hep B	☐ US dupplex
☐ Hypothyroism	☐ US abdomen
☐ HIV HART	☐ UA ☐ UCx ☐ Sputum cx
☐ Ca	☐ BCx ☐ WCx
☐ RA	☐ UTOX
☐ Seizure	☐ ERCP
☐ MDRO	☐ MRCP
☐ Allergy: PNC, ASA,	

☐ ETOH Drug Smoker	

ABX

ABX	PAIN
☐ Acyclovir	☐ Gabapentin
☐ Augmentin	☐ Hydromorphone
☐ Azitromycin	☐ Methadone
☐ Aztreonam	☐ Morphine
☐ Cefaclor	☐ Percocet /Oxycodone
☐ Cefepime	☐ Toradol
☐ Cefdenir	☐ Tramadol
☐ Ceftri xone	☐ Tylenol
☐ Ciprofloxacine	
☐ Clindamycin	**GI**
☐ Daptomycin	☐ Docusate / Senna
☐ Doxycicline	☐ Famotidine
☐ Levofloxacin	☐ Lactulose
☐ Flagyl	☐ Octeotride
☐ Fluconazol	☐ Propanolol
☐ Meropenem	☐ Pantoprazole /ome/eso/famotidine
☐ Valacyclovir	☐ Reglan Zofran
☐ Vancomycin	☐ Rifaximin
☐ Zosyn	☐ Spironolactone
☐ Zivox	

☐ Wound care	☐ SW
☐ Speach	☐ PT

☐ Dvt prophylaxis
☐ Hep drip

HTN | **PULMONAR**

HTN	PULMONAR
☐ Amlodipine	☐ Albuterol
☐ Amiodarone	☐ Ipatropium
☐ Cardiazem	☐ Budesonine
☐ Carvedilol	☐ Levalbuterol
☐ Clonidine	☐ Prednisone
☐ Entresto	☐ Solumedrol
☐ Lisinopril Enalapril	☐ Dexamethasone
☐ HCTZ	**CARDIO**
☐ Hydralazine	☐ Asa
☐ Labetolol	☐ Eliquis
☐ Lasix bumex	☐ Lipitor /simvastatin/
☐ Lisinopril	☐ Lovenox
☐ Losartan	☐ Plavix
☐ Metolazone	☐ Ranexa
☐ Metop T	☐ Warfarin
☐ Metop S	☐ Xarelto
☐ Nifedipine	**URO**
☐ Verapamil	☐ Finasteride
THYROID	☐ Tamsulosin
☐ Levothyroxine	
☐ Methymazole	
☐ Propylthiouracil	

DM2

DM2	PSYCH
☐ Glargine	☐ Ati an
☐ Iss	☐ Benadryl
☐ Lispro	☐ Carbidopa/Levodopa
☐ Calcium	☐ Citalopram
☐ Fe	☐ Clonazepam
☐ FA B1 B12 C zinc	☐ Donezepil
☐ Vit D	☐ Librium
☐ MVT	☐ Mirtazapine
NEURO	☐ Quetiapine
☐ Acid valproic	☐ Sertraline Paroxetine
☐ Keppra	☐ Trazodone
☐ Phenytoin	☐ Xanax

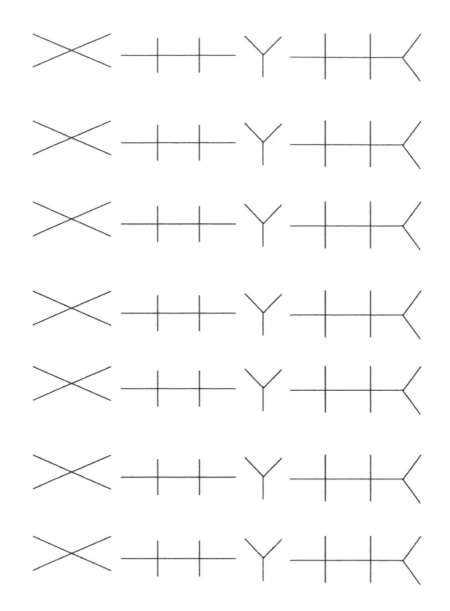

Name	Reason of admission
Neuro	Sedation: Precedex
	Fentanyl
	Propofol
	Versed
Cardio	Vasopressors: Levophed
	Phenylephrine
	Epinephrine
	Vasopresine
	Amiodarone:
	Cardizem:
	Nifedipine:
Respiratory	Ventilator: NC
	VM
	NR
	Hi flow
	Bipap
	Ventilator : / / /
	Trach:
	Muscle relaxant: Rocuronium
	Nimbex
Endo	Insulin drip:
GU/Nephrology	IV Fluids: NS
	LR
	D5
	NS D5
	LR D5
	0.45% NS
Heme	FOLEY
ID	LINE: RIJ LIJ
	RF LF
	SHYLEY
	Midline PICC line
GI	FEEDINGS: NGT
	PEG
General measure	
Dvt Proph	
PPI proph	
Diet	

NAME: _____

Admitted for: _____

_____

_____

☐ DM2 HTN HLD	☐ Chest XRAy: PNA atelectasia
☐ CAD stent CABG	☐ EKG nsr rbbb Lbbb AFib
☐ Anemia	☐ Echo
☐ AF xarelto warfarin eliquis PM	☐ CTH
☐ Asthma COPD ltot	☐ CTA
☐ BPH Prostate Ca	☐ CTP
☐ BMI	☐ CT Chest
☐ CHF EF ICD	☐ CT abdomen
☐ CKD ESRD tts wf PC AVF	☐ Cardiac Cath
☐ CVA residual weakness R L TIA	☐ Carotid doppler
☐ Dementia Aleimer Parkinson	☐ MRI brain
☐ Depression anxiety	☐ Trop ☐ BNP
☐ Hep C Hep B	☐ US dupplex
☐ Hypothyroism	☐ US abdomen
☐ HIV HART	☐ UA ☐ UCx ☐ Sputum cx
☐ Ca	☐ BCx ☐ WCx
☐ RA	☐ UTOX
☐ Seizure	☐ ERCP
☐ MDRO	☐ MRCP
☐ Allergy: PNC, ASA,	
☐ ETOH Drug Smoker	

		ABX	PAIN
☐ Wound care	☐ SW	☐ Acyclovir	☐ Gabapentin
☐ Speach	☐ PT	☐ Augmentin	☐ Hydromorphone
		☐ Azitromycin	☐ Methadone
☐ Dvt prophylaxis		☐ Aztreonam	☐ Morphine
☐ Hep drip		☐ Cefaclor	☐ Percocet /Oxycodone
		☐ Cefepime	☐ Toradol

HTN / **PULMONAR**

HTN	PULMONAR	ABX	
		☐ Cefdenir	☐ Tramadol
		☐ Ceftri xone	☐ Tylenol
☐ Amlodipine	☐ Albuterol	☐ Ciprofloxacine	
☐ Amiodarone	☐ Ipatropium	☐ Clindamycin	GI
☐ Cardiazem	☐ Budesonine	☐ Daptomycin	
☐ Carvedilol	☐ Levalbuterol	☐ Doxycicline	☐ Docusate / Senna
☐ Clonidine	☐ Prednisone	☐ Levofloxacin	☐ Famotidine
☐ Entresto	☐ Solumedrol	☐ Flagyl	☐ Lactulose
☐ Lisinopril Enalapril	☐ Dexamethasone	☐ Fluconazol	☐ Octeotride
☐ HCTZ		☐ Meropenem	☐ Propanolol
☐ Hydralazine	CARDIO	☐ Valacyclovir	☐ Pantoprazole /ome/eso/famotidine
☐ Labetolol	☐ Asa	☐ Vancomycin	☐ Reglan Zofran
☐ Lasix bumex	☐ Eliquis	☐ Zosyn	☐ Rifaximin
☐ Lisinopril	☐ Lipitor /simvastatin/	☐ Zivox	☐ Spironolactone
☐ Losartan	☐ Lovenox	DM2	PSYCH
☐ Metolazone	☐ Plavix	☐ Glargine	☐ Ati an
☐ Metop T	☐ Ranexa	☐ Iss	☐ Benadryl
☐ Metop S	☐ Warfarin	☐ Lispro	☐ Carbidopa/Levodopa
☐ Nifedipine	☐ Xarelto	☐ Calcium	☐ Citalopram
☐ Verapamil	URO	☐ Fe	☐ Clonazepam
THYROID	☐ Finasteride	☐ FA B1 B12 C zinc	☐ Donezepil
☐ Levothyroxine	☐ Tamsulosin	☐ Vit D	☐ Librium
☐ Methymazole	NEURO	☐ MVT	☐ Mirtazapine
☐ Propylthiouracil	☐ Acid valproic		☐ Quetiapine
	☐ Keppra		☐ Sertraline Paroxetine
	☐ Phenytoin		☐ Trazodone
			☐ Xanax

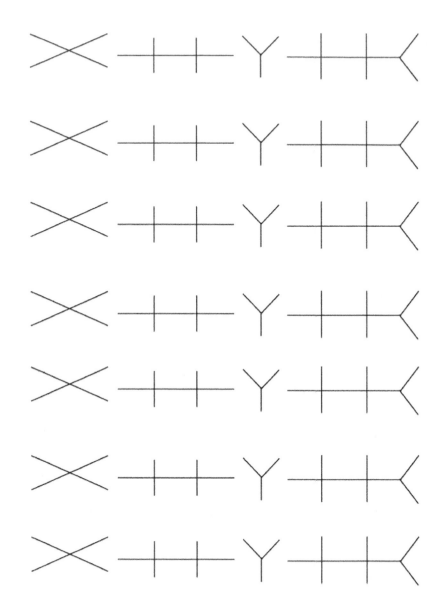

Name	Reason of admission
Neuro	Sedation: Precedex
	Fentanyl
	Propofol
	Versed
Cardio	Vasopressors: Levophed
	Phenylephrine
	Epinephrine
	Vasopresine
	Amiodarone:
	Cardizem:
	Nifedipine:
Respiratory	Ventlator: NC
	VM
	NR
	Hi flow
	Bipap
	Ventilator : / / /
	Trach:
	Muscle relaxant: Rocuronium
	Nimbex
Endo	Insulin drip:
GU/Nephrology	IV Fluids: NS
	LR
	D5
	NS D5
	LR D5
	0.45% NS
Heme	FOLEY
ID	LINE: RIJ LIJ
	RF LF
	SHYLEY
	Midline PICC line
GI	FEEDINGS: NGT
	PEG
General measure	
Dvt Proph	
PPI proph	
Diet	

NAME: _____

Admited for: _____

_____

_____

☐ DM2 HTN HLD	☐ Chest XRAy: PNA atelectasia
☐ CAD stent CABG	☐ EKG nsr rbbb Lbbb AFib
☐ Anemia	☐ Echo
☐ AF xarelto warfarin eliquis PM	☐ CTH
☐ Asthma COPD ltot	☐ CTA
☐ BPH Prostate Ca	☐ CTP
☐ BMI	☐ CT Chest
☐ CHF EF ICD	☐ CT abdomen
☐ CKD ESRD tts wf PC AVF	☐ Cardiac Cath
☐ CVA residual weakness R L TIA	☐ Carotid doppler
☐ Dementia Aleimer Parkinson	☐ MRI brain
☐ Depression anxiety	☐ Trop ☐ BNP
☐ Hep C Hep B	☐ US dupplex
☐ Hypothyroism	☐ US abdomen
☐ HIV HART	☐ UA ☐ UCx ☐ Sputum cx
☐ Ca	☐ BCx ☐ WCx
☐ RA	☐ UTOX
☐ Seizure	☐ ERCP
☐ MDRO	☐ MRCP
☐ Allergy: PNC, ASA,	
☐ ETOH Drug Smoker	

☐ Wound care   ☐ SW
☐ Speach   ☐ PT

☐ Dvt prophylaxis
☐ Hep drip

ABX	PAIN
☐ Acyclovir	☐ Gabapentin
☐ Augmentin	☐ Hydromorphone
☐ Azitromycin	☐ Methadone
☐ Aztreonam	☐ Morphine
☐ Cefaclor	☐ Percocet /Oxycodone
☐ Cefepime	☐ Toradol
☐ Cefdenir	☐ Tramadol
☐ Ceftri xone	☐ Tylenol
☐ Ciprofloxacine	
☐ Clindamycin	

HTN	PULMONAR
☐ Amlodipine	☐ Albuterol
☐ Amiodarone	☐ Ipatropium
☐ Cardiazem	☐ Budesonine
☐ Carvedilol	☐ Levalbuterol
☐ Clonidine	☐ Prednisone
☐ Entresto	☐ Solumedrol
☐ Lisinopril Enalapril	☐ Dexamethasone
☐ HCTZ	
☐ Hydralazine	

	ABX	PAIN
☐ Daptomycin		GI
☐ Doxycicline		☐ Docusate / Senna
☐ Levofloxacin		☐ Famotidine
☐ Flagyl		☐ Lactulose
☐ Fluconazol		☐ Octeotride
☐ Meropenem		☐ Propanolol
☐ Valacyclovir		☐ Pantoprazole /ome/eso/famotidine
☐ Vancomycin		☐ Reglan Zofran
☐ Zosyn		☐ Rifaximin
☐ Zivox		☐ Spironolactone

CARDIO
☐ Asa
☐ Eliquis
☐ Lipitor /simvastatin/
☐ Lovenox
☐ Plavix
☐ Ranexa
☐ Warfarin
☐ Xarelto

HTN (cont)
☐ Labetolol
☐ Lasix bumex
☐ Lisinopril
☐ Losartan
☐ Metolazone
☐ Metop T
☐ Metop S
☐ Nifedipine
☐ Verapamil

DM2
☐ Glargine
☐ Iss
☐ Lispro
☐ Calcium
☐ Fe
☐ FA   B1   B12 C zinc
☐ Vit D
☐ MVT

PSYCH
☐ Ati an
☐ Benadryl
☐ Carbidopa/Levodopa
☐ Citalopram
☐ Clonazepam
☐ Donezepil
☐ Librium
☐ Mirtazapine
☐ Quetiapine
☐ Sertraline   Paroxetine
☐ Trazodone
☐ Xanax

THYROID
☐ Levothyroxine
☐ Methymazole
☐ Propylthiouracil

URO
☐ Finasteride
☐ Tamsulosin

NEURO
☐ Acid valproic
☐ Keppra
☐ Phenytoin

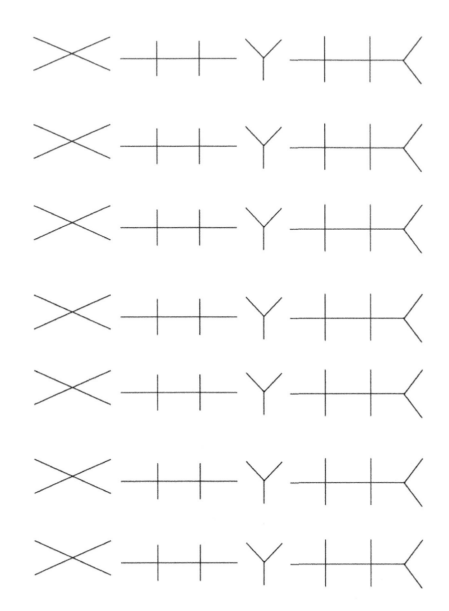

Name	Reason of admission
Neuro	Sedation: Precedex Fentanyl Propofol Versed
Cardio	Vasopressors: Levophed Phenylephrine Epinephrine Vasopresine Amiodarone: Cardizem: Nifedipine:
Respiratory	Ventlator: NC VM NR Hi flow Bipap Ventlator : / / / Trach: Muscle relaxant: Rocuronium Nimbex
Endo	Insulin drip:
GU/Nephrology	IV Fluids: NS LR D5 NS D5 LR D5 0.45% NS
Heme	FOLEY
ID	LINE: RIJ LIJ RF LF SHYLEY Midline PICC line
GI	FEEDINGS: NGT PEG
General measure	
Dvt Proph PPI proph Diet	

NAME: _____

Admited for: _____

_____

_____

☐ DM2 HTN HLD	☐ Chest XRAy: PNA atelectasia		
☐ CAD stent CABG	☐ EKG nsr rbbb Lbbb AFib		
☐ Anemia	☐ Echo		
☐ AF xarelto warfarin eliquis PM	☐ CTH		
☐ Asthma COPD ltot	☐ CTA		
☐ BPH Prostate Ca	☐ CTP		
☐ BMI	☐ CT Chest		
☐ CHF EF ICD	☐ CT abdomen		
☐ CKD ESRD tts wf PC AVF	☐ Cardiac Cath		
☐ CVA residual weakness R L TIA	☐ Carotid doppler		
☐ Dementia Aleimer Parkinson	☐ MRI brain		
☐ Depression anxiety	☐ Trop		☐ BNP
☐ Hep C Hep B	☐ US dupplex		
☐ Hypothyroism	☐ US abdomen		
☐ HIV HART	☐ UA	☐ UCx	☐ Sputum cx
☐ Ca	☐ BCx	☐ WCx	
☐ RA	☐ UTOX		
☐ Seizure	☐ ERCP		
☐ MDRO	☐ MRCP		
☐ Allergy: PNC, ASA,			
☐ ETOH Drug Smoker			

ABX	PAIN
☐ Acyclovir	☐ Gabapentin
☐ Augmentin	☐ Hydromorphone
☐ Azitromycin	☐ Methadone
☐ Aztreonam	☐ Morphine
☐ Cefaclor	☐ Percocet /Oxycodone
☐ Cefepime	☐ Toradol
☐ Cefdenir	☐ Tramadol
☐ Ceftri xone	☐ Tylenol
☐ Ciprofloxacine	
☐ Clindamycin	

☐ Wound care	☐ SW
☐ Speach	☐ PT

☐ Dvt prophylaxis	
☐ Hep drip	

HTN	PULMONAR
☐ Amlodipine	☐ Albuterol
☐ Amiodarone	☐ Ipatropium
☐ Cardiazem	☐ Budesonine
☐ Carvedilol	☐ Levalbuterol
☐ Clonidine	☐ Prednisone
☐ Entresto	☐ Solumedrol
☐ Lisinopril Enalapril	☐ Dexamethasone
☐ HCTZ	

ABX (cont.)	PAIN (cont.)
☐ Daptomycin	GI
☐ Doxycicline	☐ Docusate / Senna
☐ Levofloxacin	☐ Famotidine
☐ Flagyl	☐ Lactulose
☐ Fluconazol	☐ Octeotride
☐ Meropenem	☐ Propanolol
☐ Valacyclovir	☐ Pantoprazole /ome/eso/famotidine
☐ Vancomycin	☐ Reglan Zofran
☐ Zosyn	☐ Rifaximin
☐ Zivox	☐ Spironolactone

CARDIO	DM2
☐ Asa	☐ Glargine
☐ Eliquis	☐ Iss
☐ Lipitor /simvastatin/	☐ Lispro
☐ Lovenox	☐ Calcium
☐ Plavix	☐ Fe
☐ Ranexa	☐ FA B1 B12 C zinc
☐ Warfarin	☐ Vit D
☐ Xarelto	☐ MVT

HTN (cont.)
☐ Hydralazine
☐ Labetolol
☐ Lasix bumex
☐ Lisinopril
☐ Losartan
☐ Metolazone
☐ Metop T
☐ Metop S
☐ Nifedipine
☐ Verapamil

PSYCH
☐ Ati an
☐ Benadryl
☐ Carbidopa/Levodopa
☐ Citalopram
☐ Clonazepam
☐ Donezepil
☐ Librium
☐ Mirtazapine
☐ Quetiapine
☐ Sertraline   Paroxetine
☐ Trazodone
☐ Xanax

THYROID	URO	NEURO
☐ Levothyroxine	☐ Finasteride	☐ Acid valproic
☐ Methymazole	☐ Tamsulosin	☐ Keppra
☐ Propylthiouracil		☐ Phenytoin

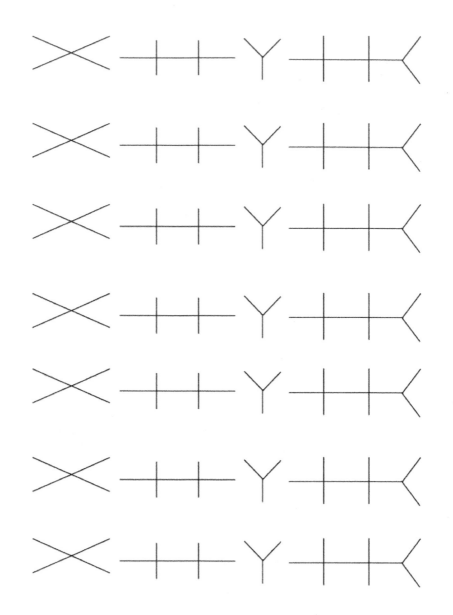

Name	Reason of admission
Neuro	Sedation: Precedex Fentanyl Propofol Versed
Cardio	Vasopressors: Levophed Phenylephrine Epinephrine Vasopresine Amiodarone: Cardizem: Nifedipine:
Respiratory	Ventlator: NC VM NR Hi flow Bipap Ventlator : / / / Trach: Muscle relaxant: Rocuronium Nimbex
Endo	Insulin drip:
GU/Nephrology	IV Fluids: NS LR D5 NS D5 LR D5 0.45% NS
Heme	FOLEY
ID	LINE: RIJ LIJ RF LF SHYLEY Midline PICC line
GI	FEEDINGS: NGT PEG
General measure	
Dvt Proph PPI proph Diet	

NAME: _____

Admited for: _____

_____

_____

☐ DM2 HTN HLD	☐ Chest XRAy: PNA atelectasia
☐ CAD stent CABG	☐ EKG nsr rbbb Lbbb AFib
☐ Anemia	☐ Echo
☐ AF xarelto warfarin eliquis PM	☐ CTH
☐ Asthma COPD Itot	☐ CTA
☐ BPH Prostate Ca	☐ CTP
☐ BMI	☐ CT Chest
☐ CHF EF ICD	☐ CT abdomen
☐ CKD ESRD tts wf PC AVF	☐ Cardiac Cath
☐ CVA residual weakness R L TIA	☐ Carotid doppler
☐ Dementia Aleimer Parkinson	☐ MRI brain
☐ Depression anxiety	☐ Trop ☐ BNP
☐ Hep C Hep B	☐ US dupplex
☐ Hypothyroism	☐ US abdomen
☐ HIV HART	☐ UA ☐ UCx ☐ Sputum cx
☐ Ca	☐ BCx ☐ WCx
☐ RA	☐ UTOX
☐ Seizure	☐ ERCP
☐ MDRO	☐ MRCP
☐ Allergy: PNC, ASA,	

☐ ETOH Drug Smoker

☐ Wound care	☐ SW
☐ Speach	☐ PT

☐ Dvt prophylaxis
☐ Hep drip

ABX	**PAIN**
☐ Acyclovir	☐ Gabapentin
☐ Augmentin	☐ Hydromorphone
☐ Azitromycin	☐ Methadone
☐ Aztreonam	☐ Morphine
☐ Cefaclor	☐ Percocet /Oxycodone
☐ Cefepime	☐ Toradol
☐ Cefdenir	☐ Tramadol
☐ Ceftri xone	☐ Tylenol
☐ Ciprofloxacine	
☐ Clindamycin	**GI**
☐ Daptomycin	☐ Docusate / Senna
☐ Doxyclcline	☐ Famotidine
☐ Levofloxacin	☐ Lactulose
☐ Flagyl	☐ Octeotride
☐ Fluconazol	☐ Propanolol
☐ Meropenem	☐ Pantoprazole /ome/eso/famotidine
☐ Valacyclovir	☐ Reglan Zofran
☐ Vancomycin	☐ Rifaximin
☐ Zosyn	☐ Spironolactone
☐ Zivox	

HTN	**PULMONAR**
☐ Amlodipine	☐ Albuterol
☐ Amiodarone	☐ Ipatropium
☐ Cardiazem	☐ Budesonine
☐ Carvedilol	☐ Levalbuterol
☐ Clonidine	☐ Prednisone
☐ Entresto	☐ Solumedrol
☐ Lisinopril Enalapril	☐ Dexamethasone
☐ HCTZ	
☐ Hydralazine	**CARDIO**
☐ Labetolol	☐ Asa
☐ Lasix bumex	☐ Eliquis
☐ Lisinopril	☐ Lipitor /simvastatin/
☐ Losartan	☐ Lovenox
☐ Metolazone	☐ Plavix
☐ Metop T	☐ Ranexa
☐ Metop S	☐ Warfarin
☐ Nifedipine	☐ Xarelto
☐ Verapamil	
	URO
THYROID	☐ Finasteride
☐ Levothyroxine	☐ Tamsulosin
☐ Methymazole	
☐ Propylthiouracil	

DM2	**PSYCH**
☐ Glargine	☐ Ati an
☐ Iss	☐ Benadryl
☐ Lispro	☐ Carbidopa/Levodopa
☐ Calcium	☐ Citalopram
☐ Fe	☐ Clonazepam
☐ FA B1 B12 C zinc	☐ Donezepil
☐ Vit D	☐ Librium
☐ MVT	☐ Mirtazapine
	☐ Quetiapine
NEURO	☐ Sertraline Paroxetine
☐ Acid valproic	☐ Trazodone
☐ Keppra	☐ Xanax
☐ Phenytoin	

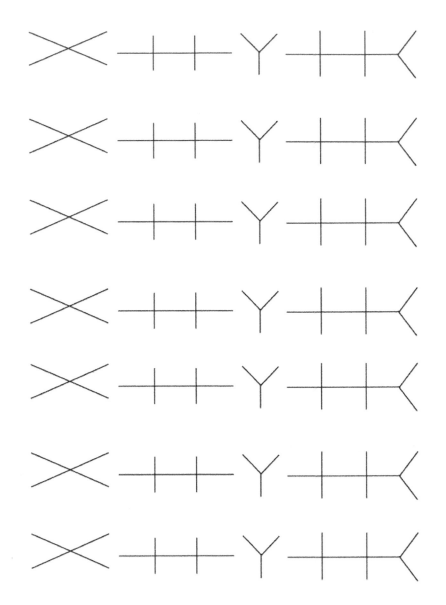

Name	Reason of admission
Neuro	Sedation: Precedex Fentanyl Propofol Versed
Cardio	Vasopressors: Levophed Phenylephrine Epinephrine Vasopresine Amiodarone: Cardizem: Nifedipine:
Respiratory	Ventlator: NC VM NR Hi flow Bipap Ventlator : / / / Trach: Muscle relaxant: Rocuronium Nimbex
Endo	Insulin drip:
GU/Nephrology	IV Fluids: NS LR D5 NS D5 LR D5 0.45% NS
Heme	FOLEY
ID	LINE: RIJ LIJ RF LF SHYLEY Midline PICC line
GI	FEEDINGS: NGT PEG
General measure	
Dvt Proph PPI proph Diet	

NAME: _____

Admited for: _____

_____
_____

☐ DM2 HTN HLD	☐ Chest XRAy: PNA atelectasia
☐ CAD stent CABG	☐ EKG nsr rbbb Lbbb AFib
☐ Anemia	☐ Echo
☐ AF xarelto warfarin eliquis PM	☐ CTH
☐ Asthma COPD ltot	☐ CTA
☐ BPH Prostate Ca	☐ CTP
☐ BMI	☐ CT Chest
☐ CHF EF ICD	☐ CT abdomen
☐ CKD ESRD tts wf PC AVF	☐ Cardiac Cath
☐ CVA residual weakness R L TIA	☐ Carotid doppler
☐ Dementia Aleimer Parkinson	☐ MRI brain
☐ Depression anxiety	☐ Trop ☐ BNP
☐ Hep C Hep B	☐ US dupplex
☐ Hypothyroism	☐ US abdomen
☐ HIV HART	☐ UA ☐ UCx ☐ Sputum cx
☐ Ca	☐ BCx ☐ WCx
☐ RA	☐ UTOX
☐ Seizure	☐ ERCP
☐ MDRO	☐ MRCP
☐ Allergy: PNC, ASA,	

| ☐ ETOH   Drug   Smoker | |

☐ Wound care	☐ SW	
☐ Speach	☐ PT	

☐ Dvt prophylaxis
☐ Hep drip

ABX	PAIN
☐ Acyclovir	☐ Gabapentin
☐ Augmentin	☐ Hydromorphone
☐ Azitromycin	☐ Methadone
☐ Aztreonam	☐ Morphine
☐ Cefaclor	☐ Percocet /Oxycodone
☐ Cefepime	☐ Toradol
☐ Cefdenir	☐ Tramadol
☐ Ceftri xone	☐ Tylenol
☐ Ciprofloxacine	
☐ Clindamycin	GI
☐ Daptomycin	☐ Docusate / Senna
☐ Doxycicline	☐ Famotidine
☐ Levofloxacin	☐ Lactulose
☐ Flagyl	☐ Octeotride
☐ Fluconazol	☐ Propanolol
☐ Meropenem	☐ Pantoprazole /ome/eso/famotidine
☐ Valacyclovir	☐ Reglan Zofran
☐ Vancomycin	☐ Rifaximin
☐ Zosyn	☐ Spironolactone
☐ Zivox	

HTN

☐ Amlodipine	☐ Albuterol
☐ Amiodarone	☐ Ipatropium
☐ Cardiazem	☐ Budesonine
☐ Carvedilol	☐ Levalbuterol
☐ Clonidine	☐ Prednisone
☐ Entresto	☐ Solumedrol
☐ Lisinopril Enalapril	☐ Dexamethasone
☐ HCTZ	
☐ Hydralazine	**CARDIO**
☐ Labetolol	☐ Asa
☐ Lasix bumex	☐ Eliquis
☐ Lisinopril	☐ Lipitor /simvastatin/
☐ Losartan	☐ Lovenox
☐ Metolazone	☐ Plavix
☐ Metop T	☐ Ranexa
☐ Metop S	☐ Warfarin
☐ Nifedipine	☐ Xarelto
☐ Verapamil	

PULMONAR

DM2

☐ Glargine
☐ Iss
☐ Lispro
☐ Calcium
☐ Fe
☐ FA B1 B12 C zinc
☐ Vit D
☐ MVT

PSYCH

☐ Ati an
☐ Benadryl
☐ Carbidopa/Levodopa
☐ Citalopram
☐ Clonazepam
☐ Donezepil
☐ Librium
☐ Mirtazapine
☐ Quetiapine
☐ Sertraline   Paroxetine
☐ Trazodone
☐ Xanax

THYROID

☐ Levothyroxine
☐ Methymazole
☐ Propylthiouracil

URO

☐ Finasteride
☐ Tamsulosin

NEURO

☐ Acid valproic
☐ Keppra
☐ Phenytoin

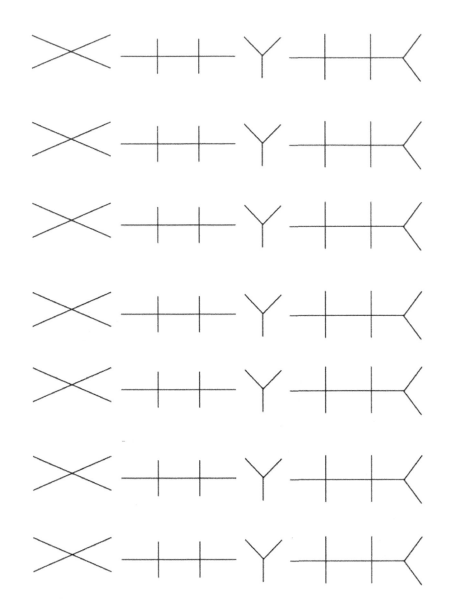

Name	Reason of admission
Neuro	Sedation: Precedex Fentanyl Propofol Versed
Cardio	Vasopressors: Levophed Phenylephrine Epinephrine Vasopresine Amiodarone: Cardizem: Nifedipine:
Respiratory	Ventilator: NC VM NR Hi flow Bipap Ventilator : / / / Trach: Muscle relaxant: Rocuronium Nimbex
Endo	Insulin drip:
GU/Nephrology	IV Fluids: NS LR D5 NS D5 LR D5 0.45% NS
Heme	FOLEY
ID	LINE: RIJ LIJ RF LF SHYLEY Midline PICC line
GI	FEEDINGS: NGT PEG
General measure	
Dvt Proph PPI proph Diet	

NAME: _____
Admited for: _____
_____
_____
_____

☐ DM2 HTN HLD	☐ Chest XRAy: PNA atelectasia
☐ CAD stent CABG	☐ EKG nsr rbbb Lbbb AFib
☐ Anemia	☐ Echo
☐ AF xarelto warfarin eliquis PM	☐ CTH
☐ Asthma COPD ltot	☐ CTA
☐ BPH Prostate Ca	☐ CTP
☐ BMI	☐ CT Chest
☐ CHF EF ICD	☐ CT abdomen
☐ CKD ESRD tts wf PC AVF	☐ Cardiac Cath
☐ CVA residual weakness R L TIA	☐ Carotid doppler
☐ Dementia Aleimer Parkinson	☐ MRI brain
☐ Depression anxiety	☐ Trop ☐ BNP
☐ Hep C Hep B	☐ US dupplex
☐ Hypothyroism	☐ US abdomen
☐ HIV HART	☐ UA ☐ UCx ☐ Sputum cx
☐ Ca	☐ BCx ☐ WCx
☐ RA	☐ UTOX
☐ Seizure	☐ ERCP
☐ MDRO	☐ MRCP
☐ Allergy: PNC, ASA,	
☐ ETOH Drug Smoker	

ABX	PAIN
☐ Acyclovir	☐ Gabapentin
☐ Augmentin	☐ Hydromorphone
☐ Azitromycin	☐ Methadone
☐ Aztreonam	☐ Morphine
☐ Cefaclor	☐ Percocet /Oxycodone
☐ Cefepime	☐ Toradol
☐ Cefdenir	☐ Tramadol
☐ Ceftri xone	☐ Tylenol
☐ Ciprofloxacine	
☐ Clindamycin	GI
☐ Daptomycin	☐ Docusate / Senna
☐ Doxycicline	☐ Famotidine
☐ Levofloxacin	☐ Lactulose
☐ Flagyl	☐ Octeotride
☐ Fluconazol	☐ Propanolol
☐ Meropenem	☐ Pantoprazole /ome/eso/famotidine
☐ Valacyclovir	☐ Reglan Zofran
☐ Vancomycin	☐ Rifaximin
☐ Zosyn	☐ Spironolactone
☐ Zivox	

☐ Wound care   ☐ SW
☐ Speach   ☐ PT

☐ Dvt prophylaxis
☐ Hep drip

HTN	PULMONAR
☐ Amlodipine	☐ Albuterol
☐ Amiodarone	☐ Ipatropium
☐ Cardiazem	☐ Budesonine
☐ Carvedilol	☐ Levalbuterol
☐ Clonidine	☐ Prednisone
☐ Entresto	☐ Solumedrol
☐ Lisinopril Enalapril	☐ Dexamethasone
☐ HCTZ	
☐ Hydralazine	CARDIO
☐ Labetolol	☐ Asa
☐ Lasix bumex	☐ Eliquis
☐ Lisinopril	☐ Lipitor /simvastatin/
☐ Losartan	☐ Lovenox
☐ Metolazone	☐ Plavix
☐ Metop T	☐ Ranexa
☐ Metop S	☐ Warfarin
☐ Nifedipine	☐ Xarelto
☐ Verapamil	

DM2	PSYCH
☐ Glargine	☐ Ati an
☐ Iss	☐ Benadryl
☐ Lispro	☐ Carbidopa/Levodopa
☐ Calcium	☐ Citalopram
☐ Fe	☐ Clonazepam
☐ FA B1 B12 C zinc	☐ Donezepil
☐ Vit D	☐ Librium
☐ MVT	☐ Mirtazapine
	☐ Quetiapine

THYROID	URO	NEURO
☐ Levothyroxine	☐ Finasteride	☐ Acid valproic
☐ Methymazole	☐ Tamsulosin	☐ Keppra
☐ Propylthiouracil		☐ Phenytoin

☐ Sertraline   Paroxetine
☐ Trazodone
☐ Xanax

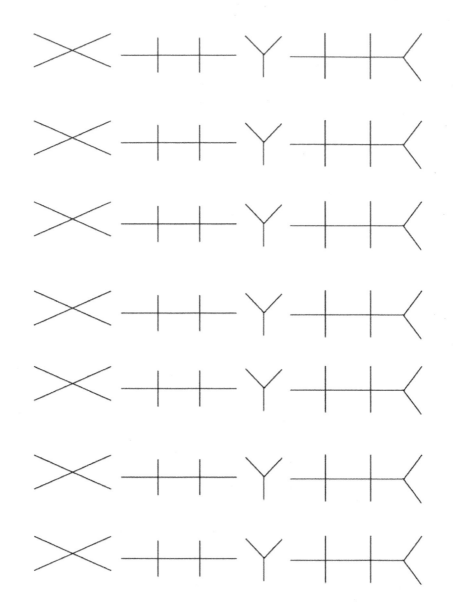

Name	Reason of admission
Neuro	Sedation: Precedex Fentanyl Propofol Versed
Cardio	Vasopressors: Levophed Phenylephrine Epinephrine Vasopresine Amiodarone: Cardizem: Nifedipine:
Respiratory	Ventlator: NC VM NR Hi flow Bipap Ventilator : / / / Trach: Muscle relaxant: Rocuronium Nimbex
Endo	Insulin drip:
GU/Nephrology	IV Fluids: NS LR D5 NS D5 LR D5 0.45% NS
Heme	FOLEY
ID	LINE: RIJ LIJ RF LF SHYLEY Midline PICC line
GI	FEEDINGS: NGT PEG
General measure	
Dvt Proph PPI proph Diet	

NAME: _____

Admited for: _____

_____

☐ DM2 HTN HLD	☐ Chest XRAy: PNA atelectasia
☐ CAD stent CABG	☐ EKG nsr rbbb Lbbb AFib
☐ Anemia	☐ Echo
☐ AF xarelto warfarin eliquis PM	☐ CTH
☐ Asthma COPD Itot	☐ CTA
☐ BPH Prostate Ca	☐ CTP
☐ BMI	☐ CT Chest
☐ CHF EF ICD	☐ CT abdomen
☐ CKD ESRD tts wf PC AVF	☐ Cardiac Cath
☐ CVA residual weakness R L TIA	☐ Carotid doppler
☐ Dementia Aleimer Parkinson	☐ MRI brain
☐ Depression anxiety	☐ Trop ☐ BNP
☐ Hep C Hep B	☐ US dupplex
☐ Hypothyroism	☐ US abdomen
☐ HIV HART	☐ UA ☐ UCx ☐ Sputum cx
☐ Ca	☐ BCx ☐ WCx
☐ RA	☐ UTOX
☐ Seizure	☐ ERCP
☐ MDRO	☐ MRCP
☐ Allergy: PNC, ASA,	
☐ ETOH Drug Smoker	

ABX	PAIN
☐ Acyclovir	☐ Gabapentin
☐ Augmentin	☐ Hydromorphone
☐ Azitromycin	☐ Methadone
☐ Aztreonam	☐ Morphine
☐ Cefaclor	☐ Percocet /Oxycodone
☐ Cefepime	☐ Toradol
☐ Cefdenir	☐ Tramadol
☐ Ceftri xone	☐ Tylenol
☐ Ciprofloxacine	
☐ Clindamycin	GI
☐ Daptomycin	
☐ Doxycicline	☐ Docusate / Senna
☐ Levofloxacin	☐ Famotidine
☐ Flagyl	☐ Lactulose
☐ Fluconazol	☐ Octeotride
☐ Meropenem	☐ Propanolol
☐ Valacyclovir	☐ Pantoprazole /ome/eso/famotidine
☐ Vancomycin	☐ Reglan Zofran
☐ Zosyn	☐ Rifaximin
☐ Zivox	☐ Spironolactone

Consults / Therapy

☐ Wound care	☐ SW
☐ Speach	☐ PT

☐ Dvt prophylaxis	
☐ Hep drip	

HTN	PULMONAR
☐ Amlodipine	☐ Albuterol
☐ Amiodarone	☐ Ipatropium
☐ Cardiazem	☐ Budesonine
☐ Carvedilol	☐ Levalbuterol
☐ Clonidine	☐ Prednisone
☐ Entresto	☐ Solumedrol
☐ Lisinopril Enalapril	☐ Dexamethasone
☐ HCTZ	
☐ Hydralazine	CARDIO
☐ Labetolol	☐ Asa
☐ Lasix bumex	☐ Eliquis
☐ Lisinopril	☐ Lipitor /simvastatin/
☐ Losartan	☐ Lovenox
☐ Metolazone	☐ Plavix
☐ Metop T	☐ Ranexa
☐ Metop S	☐ Warfarin
☐ Nifedipine	☐ Xarelto
☐ Verapamil	
	URO
THYROID	☐ Finasteride
☐ Levothyroxine	☐ Tamsulosin
☐ Methymazole	
☐ Propylthiouracil	

DM2	
☐ Glargine	
☐ Iss	
☐ Lispro	
☐ Calcium	
☐ Fe	
☐ FA B1 B12 C zinc	
☐ Vit D	
☐ MVT	

NEURO	PSYCH
☐ Acid valproic	☐ Ati an
☐ Keppra	☐ Benadryl
☐ Phenytoin	☐ Carbidopa/Levodopa
	☐ Citalopram
	☐ Clonazepam
	☐ Donezepil
	☐ Librium
	☐ Mirtazapine
	☐ Quetiapine
	☐ Sertraline Paroxetine
	☐ Trazodone
	☐ Xanax

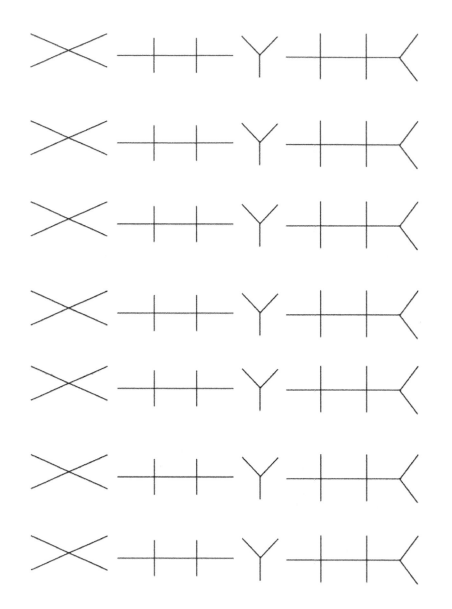

Name	Reason of admission
Neuro	Sedation: Precedex Fentanyl Propofol Versed
Cardio	Vasopressors: Levophed Phenylephrine Epinephrine Vasopresine Amiodarone: Cardizem: Nifedipine:
Respiratory	Ventlator: NC VM NR Hi flow Bipap Ventlator : / / / Trach: Muscle relaxant: Rocuronium Nimbex
Endo	Insulin drip:
GU/Nephrology	IV Fluids: NS LR D5 NS D5 LR D5 0.45% NS
Heme	FOLEY
ID	LINE: RIJ LIJ RF LF SHYLEY Midline PICC line
GI	FEEDINGS: NGT PEG
General measure Dvt Proph PPI proph Diet	

NAME: _____

Admited for: _____

_____

_____

☐ DM2 HTN HLD	☐ Chest XRAy: PNA atelectasia
☐ CAD stent CABG	☐ EKG nsr rbbb Lbbb AFib
☐ Anemia	☐ Echo
☐ AF xarelto warfarin eliquis PM	☐ CTH
☐ Asthma COPD ltot	☐ CTA
☐ BPH Prostate Ca	☐ CTP
☐ BMI	☐ CT Chest
☐ CHF EF ICD	☐ CT abdomen
☐ CKD ESRD tts wf PC AVF	☐ Cardiac Cath
☐ CVA residual weakness R L TIA	☐ Carotid doppler
☐ Dementia Aleimer Parkinson	☐ MRI brain
☐ Depression anxiety	☐ Trop ☐ BNP
☐ Hep C Hep B	☐ US dupplex
☐ Hypothyroism	☐ US abdomen
☐ HIV HART	☐ UA ☐ UCx ☐ Sputum cx
☐ Ca	☐ BCx ☐ WCx
☐ RA	☐ UTOX
☐ Seizure	☐ ERCP
☐ MDRO	☐ MRCP
☐ Allergy: PNC, ASA,	

ABX	PAIN

☐ ETOH Drug Smoker	

☐ Wound care	☐ SW	
☐ Speach	☐ PT	

| ☐ Dvt prophylaxis |
| ☐ Hep drip |

HTN	PULMONAR

ABX	PAIN
☐ Acyclovir	☐ Gabapentin
☐ Augmentin	☐ Hydromorphone
☐ Azitromycin	☐ Methadone
☐ Aztreonam	☐ Morphine
☐ Cefaclor	☐ Percocet /Oxycodone
☐ Cefepime	☐ Toradol
☐ Cefdenir	☐ Tramadol
☐ Ceftri xone	☐ Tylenol
☐ Ciprofloxacine	
☐ Clindamycin	GI
☐ Daptomycin	☐ Docusate / Senna
☐ Doxycicline	☐ Famotidine
☐ Levofloxacin	☐ Lactulose
☐ Flagyl	☐ Octeotride
☐ Fluconazol	☐ Propanolol
☐ Meropenem	☐ Pantoprazole /ome/eso/famotidine
☐ Valacyclovir	☐ Reglan Zofran
☐ Vancomycin	☐ Rifaximin
☐ Zosyn	☐ Spironolactone
☐ Zivox	

HTN
☐ Amlodipine
☐ Amiodarone
☐ Cardiazem
☐ Carvedilol
☐ Clonidine
☐ Entresto
☐ Lisinopril Enalapril
☐ HCTZ
☐ Hydralazine
☐ Labetolol
☐ Lasix bumex
☐ Lisinopril
☐ Losartan
☐ Metolazone
☐ Metop T
☐ Metop S
☐ Nifedipine
☐ Verapamil

PULMONAR
☐ Albuterol
☐ Ipatropium
☐ Budesonine
☐ Levalbuterol
☐ Prednisone
☐ Solumedrol
☐ Dexamethasone

CARDIO
☐ Asa
☐ Eliquis
☐ Lipitor /simvastatin/
☐ Lovenox
☐ Plavix
☐ Ranexa
☐ Warfarin
☐ Xarelto

URO
☐ Finasteride
☐ Tamsulosin

DM2
☐ Glargine
☐ Iss
☐ Lispro
☐ Calcium
☐ Fe
☐ FA   B1   B12 C zinc
☐ Vit D
☐ MVT

NEURO
☐ Acid valproic
☐ Keppra
☐ Phenytoin

THYROID
☐ Levothyroxine
☐ Methymazole
☐ Propylthiouracil

PSYCH
☐ Ati an
☐ Benadryl
☐ Carbidopa/Levodopa
☐ Citalopram
☐ Clonazepam
☐ Donezepil
☐ Librium
☐ Mirtazapine
☐ Quetiapine
☐ Sertraline   Paroxetine
☐ Trazodone
☐ Xanax

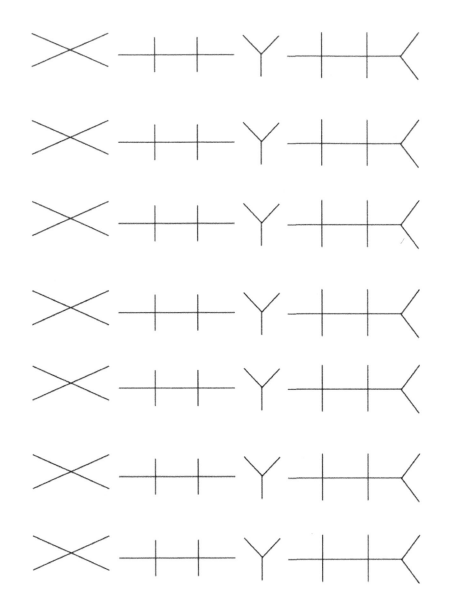

Name	Reason of admission
Neuro	Sedation: Precedex Fentanyl Propofol Versed
Cardio	Vasopressors: Levophed Phenylephrine Epinephrine Vasopresine Amiodarone: Cardizem: Nifedipine:
Respiratory	Ventlator: NC VM NR Hi flow Bipap Ventlator : / / / Trach: Muscle relaxant: Rocuronium Nimbex
Endo	Insulin drip:
GU/Nephrology	IV Fluids: NS LR D5 NS D5 LR D5 0.45% NS
Heme	FOLEY
ID	LINE: RIJ LIJ RF LF SHYLEY Midline PICC line
GI	FEEDINGS: NGT PEG
General measure	
Dvt Proph PPI proph Diet	

NAME: _____

Admitted for: _____

_____

_____

☐ DM2 HTN HLD	☐ Chest XRAy: PNA atelectasia
☐ CAD stent CABG	☐ EKG nsr rbbb Lbbb AFib
☐ Anemia	☐ Echo
☐ AF xarelto warfarin eliquis PM	☐ CTH
☐ Asthma COPD ltot	☐ CTA
☐ BPH Prostate Ca	☐ CTP
☐ BMI	☐ CT Chest
☐ CHF EF ICD	☐ CT abdomen
☐ CKD ESRD tts wf PC AVF	☐ Cardiac Cath
☐ CVA residual weakness R L TIA	☐ Carotid doppler
☐ Dementia Aleimer Parkinson	☐ MRI brain
☐ Depression anxiety	☐ Trop ☐ BNP
☐ Hep C Hep B	☐ US dupplex
☐ Hypothyroism	☐ US abdomen
☐ HIV HART	☐ UA ☐ UCx ☐ Sputum cx
☐ Ca	☐ BCx ☐ WCx
☐ RA	☐ UTOX
☐ Seizure	☐ ERCP
☐ MDRO	☐ MRCP
☐ Allergy: PNC, ASA,	
☐ ETOH Drug Smoker	

ABX	PAIN
☐ Acyclovir	☐ Gabapentin
☐ Augmentin	☐ Hydromorphone
☐ Azitromycin	☐ Methadone
☐ Aztreonam	☐ Morphine
☐ Cefaclor	☐ Percocet /Oxycodone
☐ Cefepime	☐ Toradol
☐ Cefdenir	☐ Tramadol
☐ Ceftri xone	☐ Tylenol
☐ Ciprofloxacine	
☐ Clindamycin	

☐ Wound care   ☐ SW
☐ Speach   ☐ PT

☐ Dvt prophylaxis
☐ Hep drip

HTN	PULMONAR
☐ Amlodipine	☐ Albuterol
☐ Amiodarone	☐ Ipatropium
☐ Cardiazem	☐ Budesonine
☐ Carvedilol	☐ Levalbuterol
☐ Clonidine	☐ Prednisone
☐ Entresto	☐ Solumedrol
☐ Lisinopril Enalapril	☐ Dexamethasone
☐ HCTZ	

	CARDIO
☐ Hydralazine	☐ Asa
☐ Labetolol	☐ Eliquis
☐ Lasix bumex	☐ Lipitor /simvastatin/
☐ Lisinopril	☐ Lovenox
☐ Losartan	☐ Plavix
☐ Metolazone	☐ Ranexa
☐ Metop T	☐ Warfarin
☐ Metop S	☐ Xarelto
☐ Nifedipine	
☐ Verapamil	

ABX (cont.)	
☐ Daptomycin	
☐ Doxycicline	
☐ Levofloxacin	
☐ Flagyl	
☐ Fluconazol	
☐ Meropenem	
☐ Valacyclovir	
☐ Vancomycin	
☐ Zosyn	
☐ Zivox	

GI
☐ Docusate / Senna
☐ Famotidine
☐ Lactulose
☐ Octeotride
☐ Propanolol
☐ Pantoprazole /ome/eso/famotidine
☐ Reglan   Zofran
☐ Rifaximin
☐ Spironolactone

DM2
☐ Glargine
☐ Iss
☐ Lispro
☐ Calcium
☐ Fe
☐ FA   B1   B12 C zinc
☐ Vit D
☐ MVT

PSYCH
☐ Ati an
☐ Benadryl
☐ Carbidopa/Levodopa
☐ Citalopram
☐ Clonazepam
☐ Donezepil
☐ Librium
☐ Mirtazapine
☐ Quetiapine
☐ Sertraline   Paroxetine
☐ Trazodone
☐ Xanax

THYROID	URO
☐ Levothyroxine	☐ Finasteride
☐ Methymazole	☐ Tamsulosin
☐ Propylthiouracil	

NEURO
☐ Acid valproic
☐ Keppra
☐ Phenytoin

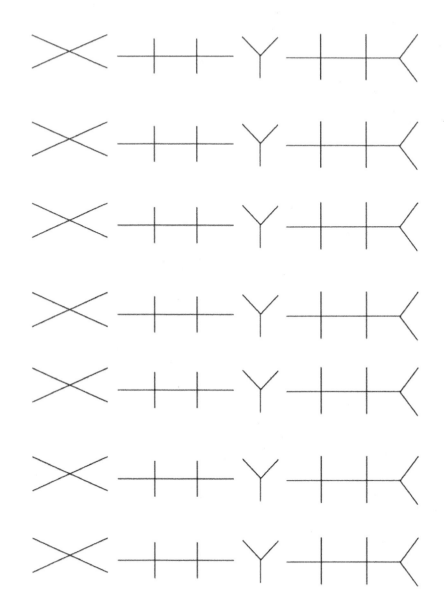

Name	Reason of admission
Neuro	Sedation: Precedex Fentanyl Propofol Versed
Cardio	Vasopressors: Levophed Phenylephrine Epinephrine Vasopresine Amiodarone: Cardizem: Nifedipine:
Respiratory	Ventilator: NC VM NR Hi flow Bipap Ventilator : / / / Trach: Muscle relaxant: Rocuronium Nimbex
Endo	Insulin drip:
GU/Nephrology	IV Fluids: NS LR D5 NS D5 LR D5 0.45% NS
Heme	FOLEY
ID	LINE: RIJ LIJ RF LF SHYLEY Midline PICC line
GI	FEEDINGS: NGT PEG
General measure	
Dvt Proph PPI proph Diet	

NAME: _____

Admitted for: _____

_____

_____

☐ DM2 HTN HLD	☐ Chest XRAy: PNA atelectasia
☐ CAD stent CABG	☐ EKG nsr rbbb Lbbb AFib
☐ Anemia	☐ Echo
☐ AF xarelto warfarin eliquis PM	☐ CTH
☐ Asthma COPD ltot	☐ CTA
☐ BPH Prostate Ca	☐ CTP
☐ BMI	☐ CT Chest
☐ CHF EF ICD	☐ CT abdomen
☐ CKD ESRD tts wf PC AVF	☐ Cardiac Cath
☐ CVA residual weakness R L TIA	☐ Carotid doppler
☐ Dementia Aleimer Parkinson	☐ MRI brain
☐ Depression anxiety	☐ Trop ☐ BNP
☐ Hep C Hep B	☐ US dupplex
☐ Hypothyroism	☐ US abdomen
☐ HIV HART	☐ UA ☐ UCx ☐ Sputum cx
☐ Ca	☐ BCx ☐ WCx
☐ RA	☐ UTOX
☐ Seizure	☐ ERCP
☐ MDRO	☐ MRCP
☐ Allergy: PNC, ASA,	
☐ ETOH Drug Smoker	

| ☐ Wound care   ☐ SW |
| ☐ Speach   ☐ PT |

| ☐ Dvt prophylaxis |
| ☐ Hep drip |

ABX	PAIN
☐ Acyclovir	☐ Gabapentin
☐ Augmentin	☐ Hydromorphone
☐ Azitromycin	☐ Methadone
☐ Aztreonam	☐ Morphine
☐ Cefaclor	☐ Percocet /Oxycodone
☐ Cefepime	☐ Toradol
☐ Cefdenir	☐ Tramadol
☐ Ceftri xone	☐ Tylenol
☐ Ciprofloxacine	
☐ Clindamycin	**GI**
☐ Daptomycin	☐ Docusate / Senna
☐ Doxycicline	☐ Famotidine
☐ Levofloxacin	☐ Lactulose
☐ Flagyl	☐ Octeotride
☐ Fluconazol	☐ Propanolol
☐ Meropenem	☐ Pantoprazole /ome/eso/famotidine
☐ Valacyclovir	☐ Reglan Zofran
☐ Vancomycin	☐ Rifaximin
☐ Zosyn	☐ Spironolactone
☐ Zivox	

HTN	PULMONAR
☐ Amlodipine	☐ Albuterol
☐ Amiodarone	☐ Ipatropium
☐ Cardiazem	☐ Budesonine
☐ Carvedilol	☐ Levalbuterol
☐ Clonidine	☐ Prednisone
☐ Entresto	☐ Solumedrol
☐ Lisinopril Enalapril	☐ Dexamethasone
☐ HCTZ	
☐ Hydralazine	**CARDIO**
☐ Labetolol	☐ Asa
☐ Lasix bumex	☐ Eliquis
☐ Lisinopril	☐ Lipitor /simvastatin/
☐ Losartan	☐ Lovenox
☐ Metolazone	☐ Plavix
☐ Metop T	☐ Ranexa
☐ Metop S	☐ Warfarin
☐ Nifedipine	☐ Xarelto
☐ Verapamil	

DM2	PSYCH
☐ Glargine	☐ Ati an
☐ lss	☐ Benadryl
☐ Lispro	☐ Carbidopa/Levodopa
☐ Calcium	☐ Citalopram
☐ Fe	☐ Clonazepam
☐ FA B1 B12 C zinc	☐ Donepezil
☐ Vit D	☐ Librium
☐ MVT	☐ Mirtazapine
	☐ Quetiapine
NEURO	☐ Sertraline Paroxetine
☐ Acid valproic	☐ Trazodone
☐ Keppra	☐ Xanax
☐ Phenytoin	

THYROID	URO
☐ Levothyroxine	☐ Finasteride
☐ Methymazole	☐ Tamsulosin
☐ Propylthiouracil	

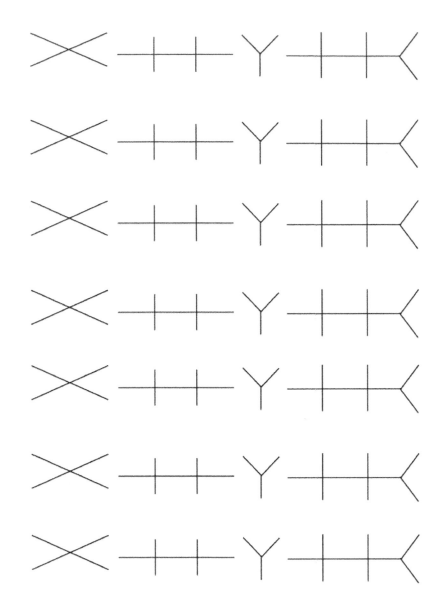

Name	Reason of admission
Neuro	Sedation: Precedex Fentanyl Propofol Versed
Cardio	Vasopressors: Levophed Phenylephrine Epinephrine Vasopresine Amiodarone: Cardizem: Nifedipine:
Respiratory	Ventlator: NC VM NR Hi flow Bipap Ventlator : / / / Trach: Muscle relaxant: Rocuronium Nimbex
Endo	Insulin drip:
GU/Nephrology	IV Fluids: NS LR D5 NS D5 LR D5 0.45% NS
Heme	FOLEY
ID	LINE: RIJ LIJ RF LF SHYLEY Midline PICC line
GI	FEEDINGS: NGT PEG
General measure Dvt Proph PPI proph Diet	

NAME: _____

Admited for: _____

_____

_____

☐ DM2 HTN HLD	☐ Chest XRAy: PNA atelectasia
☐ CAD stent CABG	☐ EKG nsr rbbb Lbbb AFib
☐ Anemia	☐ Echo
☐ AF xarelto warfarin eliquis PM	☐ CTH
☐ Asthma COPD ltot	☐ CTA
☐ BPH Prostate Ca	☐ CTP
☐ BMI	☐ CT Chest
☐ CHF EF ICD	☐ CT abdomen
☐ CKD ESRD tts wf PC AVF	☐ Cardiac Cath
☐ CVA residual weakness R L TIA	☐ Carotid doppler
☐ Dementia Aleimer Parkinson	☐ MRI brain
☐ Depression anxiety	☐ Trop ☐ BNP
☐ Hep C Hep B	☐ US dupplex
☐ Hypothyroism	☐ US abdomen
☐ HIV HART	☐ UA ☐ UCx ☐ Sputum cx
☐ Ca	☐ BCx ☐ WCx
☐ RA	☐ UTOX
☐ Seizure	☐ ERCP
☐ MDRO	☐ MRCP
☐ Allergy: PNC, ASA,	
☐ ETOH Drug Smoker	

ABX	PAIN
☐ Acyclovir	☐ Gabapentin
☐ Augmentin	☐ Hydromorphone
☐ Azitromycin	☐ Methadone
☐ Aztreonam	☐ Morphine
☐ Cefaclor	☐ Percocet /Oxycodone
☐ Cefepime	☐ Toradol
☐ Cefdenir	☐ Tramadol
☐ Ceftri xone	☐ Tylenol
☐ Ciprofloxacine	
☐ Clindamycin	

☐ Wound care ☐ SW	
☐ Speach ☐ PT	
☐ Dvt prophylaxis	
☐ Hep drip	

HTN	PULMONAR
☐ Amlodipine	☐ Albuterol
☐ Amiodarone	☐ Ipatropium
☐ Cardiazem	☐ Budesonine
☐ Carvedilol	☐ Levalbuterol
☐ Clonidine	☐ Prednisone
☐ Entresto	☐ Solumedrol
☐ Lisinopril Enalapril	☐ Dexamethasone
☐ HCTZ	CARDIO
☐ Hydralazine	☐ Asa
☐ Labetolol	☐ Eliquis
☐ Lasix bumex	☐ Lipitor /simvastatin/
☐ Lisinopril	☐ Lovenox
☐ Losartan	☐ Plavix
☐ Metolazone	☐ Ranexa
☐ Metop T	☐ Warfarin
☐ Metop S	☐ Xarelto
☐ Nifedipine	URO
☐ Verapamil	☐ Finasteride
THYROID	☐ Tamsulosin
☐ Levothyroxine	
☐ Methymazole	
☐ Propylthiouracil	

ABX (cont)	GI
☐ Daptomycin	
☐ Doxycicline	☐ Docusate / Senna
☐ Levofloxacin	☐ Famotidine
☐ Flagyl	☐ Lactulose
☐ Fluconazol	☐ Octeotride
☐ Meropenem	☐ Propanolol
☐ Valacyclovir	☐ Pantoprazole /ome/eso/famotidine
☐ Vancomycin	☐ Reglan Zofran
☐ Zosyn	☐ Rifaximin
☐ Zivox	☐ Spironolactone

DM2	PSYCH
☐ Glargine	☐ Ati an
☐ Iss	☐ Benadryl
☐ Lispro	☐ Carbidopa/Levodopa
☐ Calcium	☐ Citalopram
☐ Fe	☐ Clonazepam
☐ FA B1 B12 C zinc	☐ Donezepil
☐ Vit D	☐ Librium
☐ MVT	☐ Mirtazapine
NEURO	☐ Quetiapine
☐ Acid valproic	☐ Sertraline Paroxetine
☐ Keppra	☐ Trazodone
☐ Phenytoin	☐ Xanax

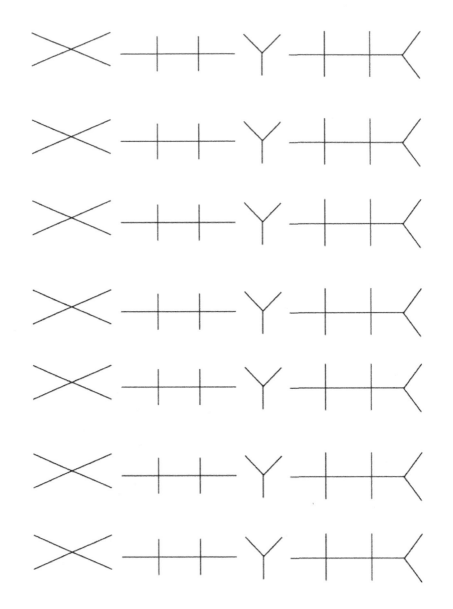

Name	Reason of admission
Neuro	Sedation: Precedex Fentanyl Propofol Versed
Cardio	Vasopressors: Levophed Phenylephrine Epinephrine Vasopresine Amiodarone: Cardizem: Nifedipine:
Respiratory	Ventlator: NC VM NR Hi flow Bipap Ventlator : / / / Trach: Muscle relaxant: Rocuronium Nimbex
Endo	Insulin drip:
GU/Nephrology	IV Fluids: NS LR D5 NS D5 LR D5 0.45% NS
Heme	FOLEY
ID	LINE: RIJ LIJ RF LF SHYLEY Midline PICC line
GI	FEEDINGS: NGT PEG
General measure	
Dvt Proph PPI proph Diet	

NAME: _____
Admitted for: _____

_____
_____

☐ DM2 HTN HLD		☐ Chest XRAy: PNA atelectasia	
☐ CAD stent CABG		☐ EKG nsr rbbb Lbbb AFib	
☐ Anemia		☐ Echo	
☐ AF xarelto warfarin eliquis PM		☐ CTH	
☐ Asthma COPD ltot		☐ CTA	
☐ BPH Prostate Ca		☐ CTP	
☐ BMI		☐ CT Chest	
☐ CHF EF ICD		☐ CT abdomen	
☐ CKD ESRD tts wf PC AVF		☐ Cardiac Cath	
☐ CVA residual weakness R L TIA		☐ Carotid doppler	
☐ Dementia Aleimer Parkinson		☐ MRI brain	
☐ Depression anxiety		☐ Trop ☐ BNP	
☐ Hep C Hep B		☐ US dupplex	
☐ Hypothyroism		☐ US abdomen	
☐ HIV HART		☐ UA ☐ UCx ☐ Sputum cx	
☐ Ca		☐ BCx ☐ WCx	
☐ RA		☐ UTOX	
☐ Seizure		☐ ERCP	
☐ MDRO		☐ MRCP	
☐ Allergy: PNC, ASA,			
☐ ETOH Drug Smoker			

☐ Wound care ☐ SW	
☐ Speach ☐ PT	

☐ Dvt prophylaxis	
☐ Hep drip	

HTN | **PULMONAR**

HTN	PULMONAR
☐ Amlodipine	☐ Albuterol
☐ Amiodarone	☐ Ipatropium
☐ Cardiazem	☐ Budesonine
☐ Carvedilol	☐ Levalbuterol
☐ Clonidine	☐ Prednisone
☐ Entresto	☐ Solumedrol
☐ Lisinopril Enalapril	☐ Dexamethasone
☐ HCTZ	**CARDIO**
☐ Hydralazine	☐ Asa
☐ Labetolol	☐ Eliquis
☐ Lasix bumex	☐ Lipitor /simvastatin/
☐ Lisinopril	☐ Lovenox
☐ Losartan	☐ Plavix
☐ Metolazone	☐ Ranexa
☐ Metop T	☐ Warfarin
☐ Metop S	☐ Xarelto
☐ Nifedipine	
☐ Verapamil	**URO**
THYROID	☐ Finasteride
☐ Levothyroxine	☐ Tamsulosin
☐ Methymazole	
☐ Propylthiouracil	

ABX | **PAIN**

ABX	PAIN
☐ Acyclovir	☐ Gabapentin
☐ Augmentin	☐ Hydromorphone
☐ Azitromycin	☐ Methadone
☐ Aztreonam	☐ Morphine
☐ Cefaclor	☐ Percocet /Oxycodone
☐ Cefepime	☐ Toradol
☐ Cefdenir	☐ Tramadol
☐ Ceftri xone	☐ Tylenol
☐ Ciprofloxacine	
☐ Clindamycin	**GI**
☐ Daptomycin	☐ Docusate / Senna
☐ Doxycicline	☐ Famotidine
☐ Levofloxacin	☐ Lactulose
☐ Flagyl	☐ Octeotride
☐ Fluconazol	☐ Propanolol
☐ Meropenem	☐ Pantoprazole /ome/eso/famotidine
☐ Valacyclovir	☐ Reglan Zofran
☐ Vancomycin	☐ Rifaximin
☐ Zosyn	☐ Spironolactone
☐ Zivox	
DM2	**PSYCH**
☐ Glargine	☐ Ati an
☐ Iss	☐ Benadryl
☐ Lispro	☐ Carbidopa/Levodopa
☐ Calcium	☐ Citalopram
☐ Fe	☐ Clonazepam
☐ FA B1 B12 C zinc	☐ Donezepil
☐ Vit D	☐ Librium
☐ MVT	☐ Mirtazapine
NEURO	☐ Quetiapine
☐ Acid valproic	☐ Sertraline Paroxetine
☐ Keppra	☐ Trazodone
☐ Phenytoin	☐ Xanax

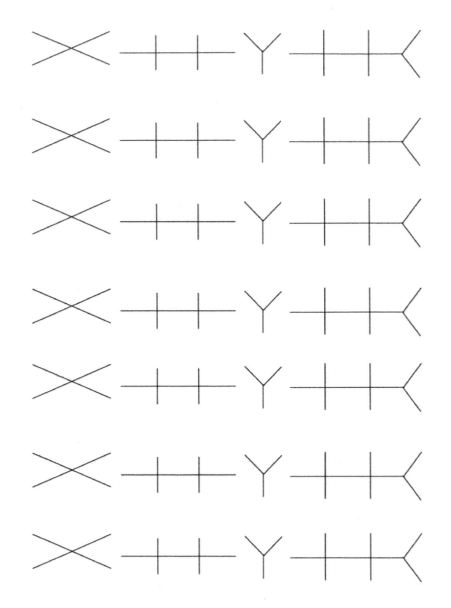

Name	Reason of admission
Neuro	Sedation: Precedex Fentanyl Propofol Versed
Cardio	Vasopressors: Levophed Phenylephrine Epinephrine Vasopresine Amiodarone: Cardizem: Nifedipine:
Respiratory	Ventlator: NC VM NR Hi flow Bipap Ventlator : / / / Trach: Muscle relaxant: Rocuronium Nimbex
Endo	Insulin drip:
GU/Nephrology	IV Fluids: NS LR D5 NS D5 LR D5 0.45% NS
Heme	FOLEY
ID	LINE: RIJ LIJ RF LF SHYLEY Midline PICC line
GI	FEEDINGS: NGT PEG
General measure	
Dvt Proph PPI proph Diet	

NAME: _____

Admited for: _____

_____
_____

☐ DM2 HTN HLD	☐ Chest XRAy: PNA atelectasia
☐ CAD stent CABG	☐ EKG nsr rbbb Lbbb AFib
☐ Anemia	☐ Echo
☐ AF xarelto warfarin eliquis PM	☐ CTH
☐ Asthma COPD ltot	☐ CTA
☐ BPH Prostate Ca	☐ CTP
☐ BMI	☐ CT Chest
☐ CHF EF ICD	☐ CT abdomen
☐ CKD ESRD tts wf PC AVF	☐ Cardiac Cath
☐ CVA residual weakness R L TIA	☐ Carotid doppler
☐ Dementia Aleimer Parkinson	☐ MRI brain
☐ Depression anxiety	☐ Trop ☐ BNP
☐ Hep C Hep B	☐ US dupplex
☐ Hypothyroism	☐ US abdomen
☐ HIV HART	☐ UA ☐ UCx ☐ Sputum cx
☐ Ca	☐ BCx ☐ WCx
☐ RA	☐ UTOX
☐ Seizure	☐ ERCP
☐ MDRO	☐ MRCP
☐ Allergy: PNC, ASA,	
☐ ETOH Drug Smoker	

☐ Wound care	☐ SW
☐ Speach	☐ PT

☐ Dvt prophylaxis	
☐ Hep drip	

ABX	PAIN
☐ Acyclovir	☐ Gabapentin
☐ Augmentin	☐ Hydromorphone
☐ Azitromycin	☐ Methadone
☐ Aztreonam	☐ Morphine
☐ Cefaclor	☐ Percocet /Oxycodone
☐ Cefepime	☐ Toradol
☐ Cefdenir	☐ Tramadol
☐ Ceftri xone	☐ Tylenol
☐ Ciprofloxacine	

HTN	PULMONAR	ABX (cont.)	PAIN (cont.)
		☐ Clindamycin	
	☐ Albuterol	☐ Daptomycin	**GI**
☐ Amlodipine	☐ Ipatropium	☐ Doxycicline	☐ Docusate / Senna
☐ Amiodarone	☐ Budesonine	☐ Levofloxacin	☐ Famotidine
☐ Cardiazem	☐ Levalbuterol	☐ Flagyl	☐ Lactulose
☐ Carvedilol	☐ Prednisone	☐ Fluconazol	☐ Octeotride
☐ Clonidine	☐ Solumedrol	☐ Meropenem	☐ Propanolol
☐ Entresto	☐ Dexamethasone	☐ Valacyclovir	☐ Pantoprazole /ome/eso/famotidine
☐ Lisinopril Enalapril		☐ Vancomycin	☐ Reglan Zofran
☐ HCTZ	**CARDIO**	☐ Zosyn	☐ Rifaximin
☐ Hydralazine		☐ Zivox	☐ Spironolactone
☐ Labetolol	☐ Asa	**DM2**	**PSYCH**
☐ Lasix bumex	☐ Eliquis	☐ Glargine	☐ Ati an
☐ Lisinopril	☐ Lipitor /simvastatin/	☐ Iss	☐ Benadryl
☐ Losartan	☐ Lovenox	☐ Lispro	☐ Carbidopa/Levodopa
☐ Metolazone	☐ Plavix	☐ Calcium	☐ Citalopram
☐ Metop T	☐ Ranexa	☐ Fe	☐ Clonazepam
☐ Metop S	☐ Warfarin	☐ FA B1 B12 C zinc	☐ Donezepil
☐ Nifedipine	☐ Xarelto	☐ Vit D	☐ Librium
☐ Verapamil	**URO**	☐ MVT	☐ Mirtazapine
THYROID	☐ Finasteride	**NEURO**	☐ Quetiapine
☐ Levothyroxine	☐ Tamsulosin	☐ Acid valproic	☐ Sertraline Paroxetine
☐ Methymazole		☐ Keppra	☐ Trazodone
☐ Propylthiouracil		☐ Phenytoin	☐ Xanax

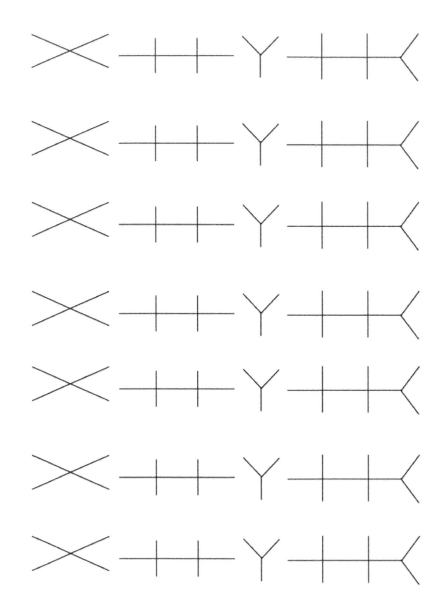

Name	Reason of admission
Neuro	Sedation: Precedex Fentanyl Propofol Versed
Cardio	Vasopressors: Levophed Phenylephrine Epinephrine Vasopresine Amiodarone: Cardizem: Nifedipine:
Respiratory	Ventlator: NC VM NR Hi flow Bipap Ventlator : / / / Trach: Muscle relaxant: Rocuronium Nimbex
Endo	Insulin drip:
GU/Nephrology	IV Fluids: NS LR D5 NS D5 LR D5 0.45% NS
Heme	FOLEY
ID	LINE: RIJ LIJ RF LF SHYLEY Midline PICC line
GI	FEEDINGS: NGT PEG
General measure	
Dvt Proph PPI proph Diet	

NAME: _____
Admitted for: _____

_____
_____

☐ DM2 HTN HLD	☐ Chest XRAy: PNA atelectasia
☐ CAD stent CABG	☐ EKG nsr rbbb Lbbb AFib
☐ Anemia	☐ Echo
☐ AF xarelto warfarin eliquis PM	☐ CTH
☐ Asthma COPD ltot	☐ CTA
☐ BPH Prostate Ca	☐ CTP
☐ BMI	☐ CT Chest
☐ CHF EF ICD	☐ CT abdomen
☐ CKD ESRD tts wf PC AVF	☐ Cardiac Cath
☐ CVA residual weakness R L TIA	☐ Carotid doppler
☐ Dementia Aleimer Parkinson	☐ MRI brain
☐ Depression anxiety	☐ Trop ☐ BNP
☐ Hep C Hep B	☐ US dupplex
☐ Hypothyroism	☐ US abdomen
☐ HIV HART	☐ UA ☐ UCx ☐ Sputum cx
☐ Ca	☐ BCx ☐ WCx
☐ RA	☐ UTOX
☐ Seizure	☐ ERCP
☐ MDRO	☐ MRCP
☐ Allergy: PNC, ASA,	
☐ ETOH Drug Smoker	

☐ Wound care ☐ SW	**ABX**	**PAIN**
☐ Speach ☐ PT	☐ Acyclovir	☐ Gabapentin
	☐ Augmentin	☐ Hydromorphone
☐ Dvt prophylaxis	☐ Azitromycin	☐ Methadone
☐ Hep drip	☐ Aztreonam	☐ Morphine
	☐ Cefaclor	☐ Percocet /Oxycodone
HTN	**PULMONAR**	☐ Cefepime	☐ Toradol
		☐ Cefdenir	☐ Tramadol
☐ Amlodipine	☐ Albuterol	☐ Ceftri xone	☐ Tylenol
☐ Amiodarone	☐ Ipatropium	☐ Ciprofloxacine	
☐ Cardiazem	☐ Budesonine	☐ Clindamycin	**GI**
☐ Carvedilol	☐ Levalbuterol	☐ Daptomycin	
☐ Clonidine	☐ Prednisone	☐ Doxycicline	☐ Docusate / Senna
☐ Entresto	☐ Solumedrol	☐ Levofloxacin	☐ Famotidine
☐ Lisinopril Enalapril	☐ Dexamethasone	☐ Flagyl	☐ Lactulose
☐ HCTZ		☐ Fluconazol	☐ Octeotride
☐ Hydralazine	**CARDIO**	☐ Meropenem	☐ Propanolol
☐ Labetolol		☐ Valacyclovir	☐ Pantoprazole /ome/eso/famotidine
☐ Lasix bumex	☐ Asa	☐ Vancomycin	☐ Reglan Zofran
☐ Lisinopril	☐ Eliquis	☐ Zosyn	☐ Rifaximin
☐ Losartan	☐ Lipitor /simvastatin/	☐ Zivox	☐ Spironolactone
☐ Metolazone	☐ Lovenox	**DM2**	**PSYCH**
☐ Metop T	☐ Plavix	☐ Glargine	
☐ Metop S	☐ Ranexa	☐ Iss	☐ Ati an
☐ Nifedipine	☐ Warfarin	☐ Lispro	☐ Benadryl
☐ Verapamil	☐ Xarelto	☐ Calcium	☐ Carbidopa/Levodopa
THYROID	**URO**	☐ Fe	☐ Citalopram
		☐ FA B1 B12 C zinc	☐ Clonazepam
☐ Levothyroxine	☐ Finasteride	☐ Vit D	☐ Donezepil
☐ Methymazole	☐ Tamsulosin	☐ MVT	☐ Librium
☐ Propylthiouracil		**NEURO**	☐ Mirtazapine
		☐ Acid valproic	☐ Quetiapine
		☐ Keppra	☐ Sertraline Paroxetine
		☐ Phenytoin	☐ Trazodone
			☐ Xanax

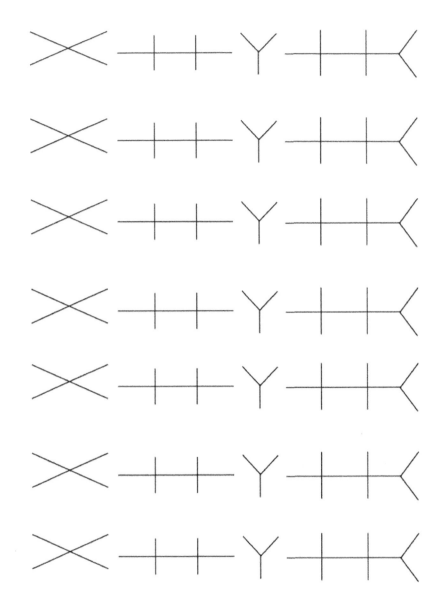

Name	Reason of admission
Neuro	Sedation: Precedex Fentanyl Propofol Versed
Cardio	Vasopressors: Levophed Phenylephrine Epinephrine Vasopresine Amiodarone: Cardizem: Nifedipine:
Respiratory	Ventlator: NC VM NR Hi flow Bipap Ventlator : / / / Trach: Muscle relaxant: Rocuronium Nimbex
Endo	Insulin drip:
GU/Nephrology	IV Fluids: NS LR D5 NS D5 LR D5 0.45% NS
Heme	FOLEY
ID	LINE: RIJ LIJ RF LF SHYLEY Midline PICC line
GI	FEEDINGS: NGT PEG
General measure	
Dvt Proph PPI proph Diet	

NAME: _____

Admited for: _____

- [ ] DM2 HTN   HLD
- [ ] CAD stent   CABG
- [ ] Anemia
- [ ] AF xarelto   warfarin   eliquis   PM
- [ ] Asthma   COPD ltot
- [ ] BPH   Prostate Ca
- [ ] BMI
- [ ] CHF   EF   ICD
- [ ] CKD ESRD tts   wf PC   AVF
- [ ] CVA residual weakness R L   TIA
- [ ] Dementia Aleimer Parkinson
- [ ] Depression anxiety
- [ ] Hep C   Hep B
- [ ] Hypothyroism
- [ ] HIV HART
- [ ] Ca
- [ ] RA
- [ ] Seizure
- [ ] MDRO
- [ ] Allergy: PNC, ASA,
- [ ] ETOH   Drug   Smoker

- [ ] Wound care   - [ ] SW
- [ ] Speach   - [ ] PT

- [ ] Dvt prophylaxis
- [ ] Hep drip

- [ ] Chest XRAy: PNA atelectasia
- [ ] EKG nsr rbbb Lbbb AFib
- [ ] Echo
- [ ] CTH
- [ ] CTA
- [ ] CTP
- [ ] CT Chest
- [ ] CT abdomen
- [ ] Cardiac Cath
- [ ] Carotid doppler
- [ ] MRI brain
- [ ] Trop   - [ ] BNP
- [ ] US dupplex
- [ ] US abdomen
- [ ] UA   - [ ] UCx   - [ ] Sputum cx
- [ ] BCx   - [ ] WCx
- [ ] UTOX
- [ ] ERCP
- [ ] MRCP

ABX	PAIN
- [ ] Acyclovir	- [ ] Gabapentin
- [ ] Augmentin	- [ ] Hydromorphone
- [ ] Azitromycin	- [ ] Methadone
- [ ] Aztreonam	- [ ] Morphine
- [ ] Cefaclor	- [ ] Percocet /Oxycodone
- [ ] Cefepime	- [ ] Toradol
- [ ] Cefdenir	- [ ] Tramadol
- [ ] Ceftri xone	- [ ] Tylenol
- [ ] Ciprofloxacine	

HTN	PULMONAR
- [ ] Amlodipine	- [ ] Albuterol
- [ ] Amiodarone	- [ ] Ipatropium
- [ ] Cardiazem	- [ ] Budesonine
- [ ] Carvedilol	- [ ] Levalbuterol
- [ ] Clonidine	- [ ] Prednisone
- [ ] Entresto	- [ ] Solumedrol
- [ ] Lisinopril Enalapril	- [ ] Dexamethasone
- [ ] HCTZ	

ABX (continued):
- [ ] Clindamycin
- [ ] Daptomycin
- [ ] Doxiciline
- [ ] Levofloxacin
- [ ] Flagyl
- [ ] Fluconazol
- [ ] Meropenem
- [ ] Valacyclovir
- [ ] Vancomycin
- [ ] Zosyn
- [ ] Zivox

GI
- [ ] Docusate / Senna
- [ ] Famotidine
- [ ] Lactulose
- [ ] Octeotride
- [ ] Propanolol
- [ ] Pantoprazole /ome/eso/famotidine
- [ ] Reglan   Zofran
- [ ] Rifaximin
- [ ] Spironolactone

CARDIO	DM2
- [ ] Asa	- [ ] Glargine
- [ ] Eliquis	- [ ] Iss
- [ ] Lipitor /simvastatin/	- [ ] Lispro
- [ ] Lovenox	- [ ] Calcium
- [ ] Plavix	- [ ] Fe
- [ ] Ranexa	- [ ] FA B1 B12 C zinc
- [ ] Warfarin	- [ ] Vit D
- [ ] Xarelto	- [ ] MVT

HTN (continued):
- [ ] Hydralazine
- [ ] Labetolol
- [ ] Lasix bumex
- [ ] Lisinopril
- [ ] Losartan
- [ ] Metolazone
- [ ] Metop T
- [ ] Metop S
- [ ] Nifedipine
- [ ] Verapamil

PSYCH
- [ ] Ati an
- [ ] Benadryl
- [ ] Carbidopa/Levodopa
- [ ] Citalopram
- [ ] Clonazepam
- [ ] Donezepil
- [ ] Librium
- [ ] Mirtazapine
- [ ] Quetiapine
- [ ] Sertraline Paroxetine
- [ ] Trazodone
- [ ] Xanax

THYROID	URO	NEURO
- [ ] Levothyroxine	- [ ] Finasteride	- [ ] Acid valproic
- [ ] Methymazole	- [ ] Tamsulosin	- [ ] Keppra
- [ ] Propylthiouracil		- [ ] Phenytoin

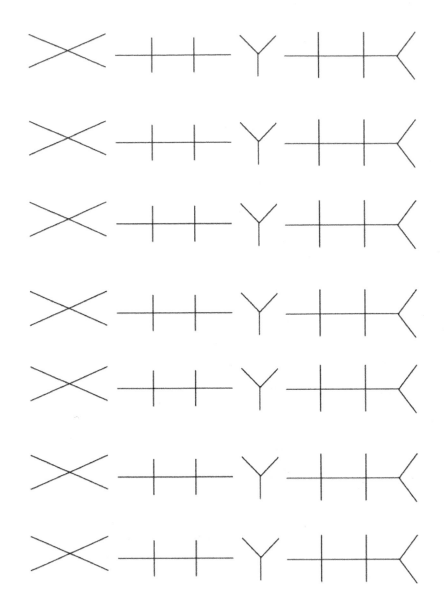

Name	Reason of admission
Neuro	Sedation: Precedex 　　　　　Fentanyl 　　　　　Propofol 　　　　　Versed
Cardio	Vasopressors: Levophed 　　　　　　　　Phenylephrine 　　　　　　　　Epinephrine 　　　　　　　　Vasopresine Amiodarone: Cardizem: Nifedipine:
Respiratory	Ventlator: NC 　　　　　VM 　　　　　NR 　　　　　Hi flow 　　　　　Bipap 　　　　　Ventlator :　/　　/　　/ 　　　　　Trach: Muscle relaxant: Rocuronium 　　　　　　　　　Nimbex
Endo	Insulin drip:
GU/Nephrology	IV Fluids: NS 　　　　　LR 　　　　　D5 　　　　　NS D5 　　　　　LR D5 　　　　　0.45% NS
Heme	FOLEY
ID	LINE:　RIJ　　　LIJ 　　　　RF　　　LF 　　　　SHYLEY 　　　　Midline　　　　　　PICC line
GI	FEEDINGS: NGT 　　　　　　PEG
General measure Dvt Proph PPI proph Diet	

NAME: _____

Admited for: _____

_____

_____

☐ DM2 HTN HLD	☐ Chest XRAy: PNA atelectasia
☐ CAD stent CABG	☐ EKG nsr rbbb Lbbb AFib
☐ Anemia	☐ Echo
☐ AF xarelto warfarin eliquis PM	☐ CTH
☐ Asthma COPD ltot	☐ CTA
☐ BPH Prostate Ca	☐ CTP
☐ BMI	☐ CT Chest
☐ CHF EF ICD	☐ CT abdomen
☐ CKD ESRD tts wf PC AVF	☐ Cardiac Cath
☐ CVA residual weakness R L TIA	☐ Carotid doppler
☐ Dementia Aleimer Parkinson	☐ MRI brain
☐ Depression anxiety	☐ Trop ☐ BNP
☐ Hep C Hep B	☐ US dupplex
☐ Hypothyroism	☐ US abdomen
☐ HIV HART	☐ UA ☐ UCx ☐ Sputum cx
☐ Ca	☐ BCx ☐ WCx
☐ RA	☐ UTOX
☐ Seizure	☐ ERCP
☐ MDRO	☐ MRCP

☐ Allergy: PNC, ASA,

☐ ETOH   Drug   Smoker

☐ Wound care	☐ SW
☐ Speach	☐ PT

☐ Dvt prophylaxis

☐ Hep drip

ABX	PAIN
☐ Acyclovir	☐ Gabapentin
☐ Augmentin	☐ Hydromorphone
☐ Azitromycin	☐ Methadone
☐ Aztreonam	☐ Morphine
☐ Cefaclor	☐ Percocet /Oxycodone
☐ Cefepime	☐ Toradol
☐ Cefdenir	☐ Tramadol
☐ Ceftri xone	☐ Tylenol
☐ Ciprofloxacine	
☐ Clindamycin	GI
☐ Daptomycin	
☐ Doxycicline	☐ Docusate / Senna
☐ Levofloxacin	☐ Famotidine
☐ Flagyl	☐ Lactulose
☐ Fluconazol	☐ Octeotride
☐ Meropenem	☐ Propanolol
☐ Valacyclovir	☐ Pantoprazole /ome/eso/famotidine
☐ Vancomycin	☐ Reglan Zofran
☐ Zosyn	☐ Rifaximin
☐ Zivox	☐ Spironolactone

HTN	PULMONAR
☐ Amlodipine	☐ Albuterol
☐ Amiodarone	☐ Ipatropium
☐ Cardiazem	☐ Budesonine
☐ Carvedilol	☐ Levalbuterol
☐ Clonidine	☐ Prednisone
☐ Entresto	☐ Solumedrol
☐ Lisinopril Enalapril	☐ Dexamethasone
☐ HCTZ	
☐ Hydralazine	CARDIO
☐ Labetolol	☐ Asa
☐ Lasix bumex	☐ Eliquis
☐ Lisinopril	☐ Lipitor /simvastatin/
☐ Losartan	☐ Lovenox
☐ Metolazone	☐ Plavix
☐ Metop T	☐ Ranexa
☐ Metop S	☐ Warfarin
☐ Nifedipine	☐ Xarelto
☐ Verapamil	URO

DM2	
☐ Glargine	
☐ Iss	
☐ Lispro	PSYCH
☐ Calcium	☐ Ati an
☐ Fe	☐ Benadryl
☐ FA B1 B12 C zinc	☐ Carbidopa/Levodopa
☐ Vit D	☐ Citalopram
☐ MVT	☐ Clonazepam

THYROID	
☐ Levothyroxine	☐ Finasteride
☐ Methymazole	☐ Tamsulosin
☐ Propylthiouracil	

NEURO	PSYCH
☐ Acid valproic	☐ Donezepil
☐ Keppra	☐ Librium
☐ Phenytoin	☐ Mirtazapine
	☐ Quetiapine
	☐ Sertraline Paroxetine
	☐ Trazodone
	☐ Xanax

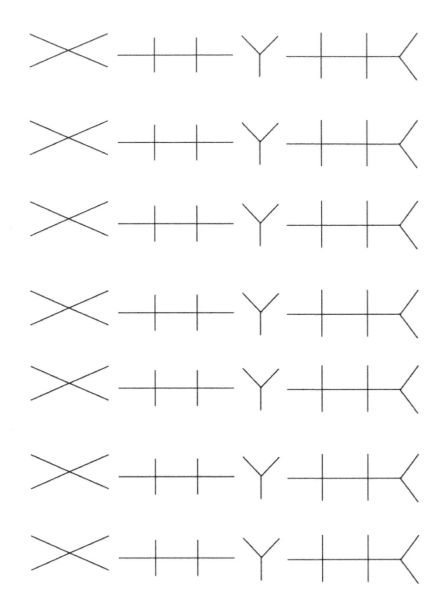

Name	Reason of admission
Neuro	Sedation: Precedex Fentanyl Propofol Versed
Cardio	Vasopressors: Levophed Phenylephrine Epinephrine Vasopresine Amiodarone: Cardizem: Nifedipine:
Respiratory	Ventlator: NC VM NR Hi flow Bipap Ventilator : / / / Trach: Muscle relaxant: Rocuronium Nimbex
Endo	Insulin drip:
GU/Nephrology	IV Fluids: NS LR D5 NS D5 LR D5 0.45% NS
Heme	FOLEY
ID	LINE: RIJ LIJ RF LF SHYLEY Midline PICC line
GI	FEEDINGS: NGT PEG
General measure	
Dvt Proph PPI proph Diet	

NAME: _____

Admitted for: _____

☐ DM2 HTN HLD	☐ Chest XRAy: PNA atelectasia
☐ CAD stent CABG	☐ EKG nsr rbbb Lbbb AFib
☐ Anemia	☐ Echo
☐ AF xarelto warfarin eliquis PM	☐ CTH
☐ Asthma COPD ltot	☐ CTA
☐ BPH Prostate Ca	☐ CTP
☐ BMI	☐ CT Chest
☐ CHF EF ICD	☐ CT abdomen
☐ CKD ESRD tts wf PC AVF	☐ Cardiac Cath
☐ CVA residual weakness R L TIA	☐ Carotid doppler
☐ Dementia Aleimer Parkinson	☐ MRI brain
☐ Depression anxiety	☐ Trop ☐ BNP
☐ Hep C Hep B	☐ US dupplex
☐ Hypothyroism	☐ US abdomen
☐ HIV HART	☐ UA ☐ UCx ☐ Sputum cx
☐ Ca	☐ BCx ☐ WCx
☐ RA	☐ UTOX
☐ Seizure	☐ ERCP
☐ MDRO	☐ MRCP
☐ Allergy: PNC, ASA,	
☐ ETOH Drug Smoker	

☐ Wound care ☐ SW	
☐ Speach ☐ PT	

☐ Dvt prophylaxis	
☐ Hep drip	

HTN	PULMONAR
☐ Amlodipine	☐ Albuterol
☐ Amiodarone	☐ Ipatropium
☐ Cardiazem	☐ Budesonine
☐ Carvedilol	☐ Levalbuterol
☐ Clonidine	☐ Prednisone
☐ Entresto	☐ Solumedrol
☐ Lisinopril Enalapril	☐ Dexamethasone
☐ HCTZ	
☐ Hydralazine	CARDIO
☐ Labetolol	☐ Asa
☐ Lasix bumex	☐ Eliquis
☐ Lisinopril	☐ Lipitor /simvastatin/
☐ Losartan	☐ Lovenox
☐ Metolazone	☐ Plavix
☐ Metop T	☐ Ranexa
☐ Metop S	☐ Warfarin
☐ Nifedipine	☐ Xarelto
☐ Verapamil	URO
THYROID	☐ Finasteride
☐ Levothyroxine	☐ Tamsulosin
☐ Methymazole	
☐ Propylthiouracil	

ABX	PAIN
☐ Acyclovir	☐ Gabapentin
☐ Augmentin	☐ Hydromorphone
☐ Azitromycin	☐ Methadone
☐ Aztreonam	☐ Morphine
☐ Cefaclor	☐ Percocet /Oxycodone
☐ Cefepime	☐ Toradol
☐ Cefdenir	☐ Tramadol
☐ Ceftri xone	☐ Tylenol
☐ Ciprofloxacine	
☐ Clindamycin	GI
☐ Daptomycin	☐ Docusate / Senna
☐ Doxycicline	☐ Famotidine
☐ Levofloxacin	☐ Lactulose
☐ Flagyl	☐ Octeotride
☐ Fluconazol	☐ Propanolol
☐ Meropenem	☐ Pantoprazole /ome/eso/famotidine
☐ Valacyclovir	☐ Reglan Zofran
☐ Vancomycin	☐ Rifaximin
☐ Zosyn	☐ Spironolactone
☐ Zivox	PSYCH
DM2	☐ Ati an
☐ Glargine	☐ Benadryl
☐ Iss	☐ Carbidopa/Levodopa
☐ Lispro	☐ Citalopram
☐ Calcium	☐ Clonazepam
☐ Fe	☐ Donezepil
☐ FA B1 B12 C zinc	☐ Librium
☐ Vit D	☐ Mirtazapine
☐ MVT	☐ Quetiapine
NEURO	☐ Sertraline Paroxetine
☐ Acid valproic	☐ Trazodone
☐ Keppra	☐ Xanax
☐ Phenytoin	

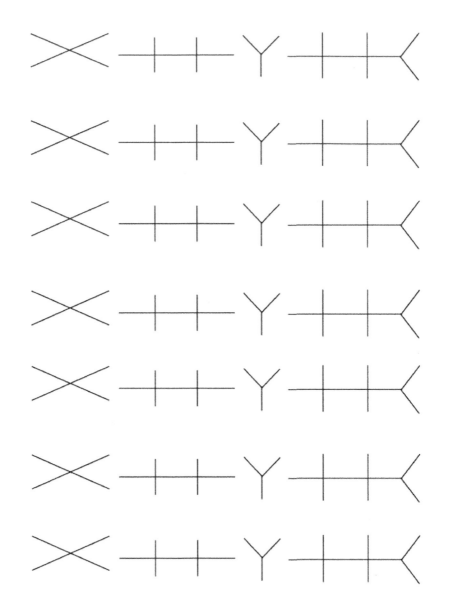

Name	Reason of admission
Neuro	Sedation: Precedex Fentanyl Propofol Versed
Cardio	Vasopressors: Levophed Phenylephrine Epinephrine Vasopresine Amiodarone: Cardizem: Nifedipine:
Respiratory	Ventilator: NC VM NR Hi flow Bipap Ventilator : / / / Trach: Muscle relaxant: Rocuronium Nimbex
Endo	Insulin drip:
GU/Nephrology	IV Fluids: NS LR D5 NS D5 LR D5 0.45% NS
Heme	FOLEY
ID	LINE: RIJ LIJ RF LF SHYLEY Midline PICC line
GI	FEEDINGS: NGT PEG
General measure Dvt Proph PPI proph Diet	

NAME: ______________________________

Admited for: ______________________________

- ☐ DM2 HTN HLD
- ☐ CAD stent CABG
- ☐ Anemia
- ☐ AF xarelto warfarin eliquis PM
- ☐ Asthma COPD ltot
- ☐ BPH Prostate Ca
- ☐ BMI
- ☐ CHF EF ICD
- ☐ CKD ESRD tts wf PC AVF
- ☐ CVA residual weakness R L TIA
- ☐ Dementia Aleimer Parkinson
- ☐ Depression anxiety
- ☐ Hep C Hep B
- ☐ Hypothyroism
- ☐ HIV HART
- ☐ Ca
- ☐ RA
- ☐ Seizure
- ☐ MDRO
- ☐ Allergy: PNC, ASA,
- ☐ ETOH Drug Smoker

- ☐ Wound care ☐ SW
- ☐ Speach ☐ PT

- ☐ Dvt prophylaxis
- ☐ Hep drip

- ☐ Chest XRAy: PNA atelectasia
- ☐ EKG nsr rbbb Lbbb AFib
- ☐ Echo
- ☐ CTH
- ☐ CTA
- ☐ CTP
- ☐ CT Chest
- ☐ CT abdomen
- ☐ Cardiac Cath
- ☐ Carotid doppler
- ☐ MRI brain
- ☐ Trop ☐ BNP
- ☐ US duplex
- ☐ US abdomen
- ☐ UA ☐ UCx ☐ Sputum cx
- ☐ BCx ☐ WCx
- ☐ UTOX
- ☐ ERCP
- ☐ MRCP

HTN

- ☐ Amlodipine
- ☐ Amiodarone
- ☐ Cardiazem
- ☐ Carvedilol
- ☐ Clonidine
- ☐ Entresto
- ☐ Lisinopril Enalapril
- ☐ HCTZ
- ☐ Hydralazine
- ☐ Labetolol
- ☐ Lasix bumex
- ☐ Lisinopril
- ☐ Losartan
- ☐ Metolazone
- ☐ Metop T
- ☐ Metop S
- ☐ Nifedipine
- ☐ Verapamil

THYROID

- ☐ Levothyroxine
- ☐ Methymazole
- ☐ Propylthiouracil

PULMONAR

- ☐ Albuterol
- ☐ Ipatropium
- ☐ Budesonine
- ☐ Levalbuterol
- ☐ Prednisone
- ☐ Solumedrol
- ☐ Dexamethasone

CARDIO

- ☐ Asa
- ☐ Eliquis
- ☐ Lipitor /simvastatin/
- ☐ Lovenox
- ☐ Plavix
- ☐ Ranexa
- ☐ Warfarin
- ☐ Xarelto

URO

- ☐ Finasteride
- ☐ Tamsulosin

ABX

- ☐ Acyclovir
- ☐ Augmentin
- ☐ Azitromycin
- ☐ Aztreonam
- ☐ Cefaclor
- ☐ Cefepime
- ☐ Cefdenir
- ☐ Ceftri xone
- ☐ Ciprofloxacine
- ☐ Clindamycin
- ☐ Daptomycin
- ☐ Doxycicline
- ☐ Levofloxacin
- ☐ Flagyl
- ☐ Fluconazol
- ☐ Meropenem
- ☐ Valacyclovir
- ☐ Vancomycin
- ☐ Zosyn
- ☐ Zivox

DM2

- ☐ Glargine
- ☐ Iss
- ☐ Lispro

- ☐ Calcium
- ☐ Fe
- ☐ FA B1 B12 C zinc
- ☐ Vit D
- ☐ MVT

NEURO

- ☐ Acid valproic
- ☐ Keppra
- ☐ Phenytoin

PAIN

- ☐ Gabapentin
- ☐ Hydromorphone
- ☐ Methadone
- ☐ Morphine
- ☐ Percocet /Oxycodone
- ☐ Toradol
- ☐ Tramadol
- ☐ Tylenol

GI

- ☐ Docusate / Senna
- ☐ Famotidine
- ☐ Lactulose
- ☐ Octeotride
- ☐ Propanolol
- ☐ Pantoprazole /ome/eso/famotidine
- ☐ Reglan Zofran
- ☐ Rifaximin
- ☐ Spironolactone

PSYCH

- ☐ Ati an
- ☐ Benadryl
- ☐ Carbidopa/Levodopa
- ☐ Citalopram
- ☐ Clonazepam
- ☐ Donezepil
- ☐ Librium
- ☐ Mirtazapine
- ☐ Quetiapine
- ☐ Sertraline Paroxetine
- ☐ Trazodone
- ☐ Xanax

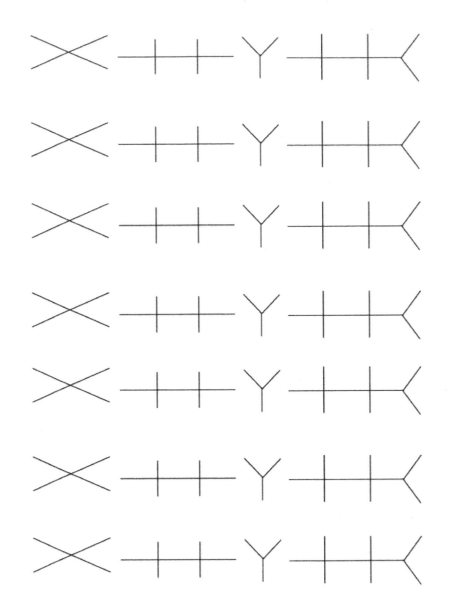

Name	Reason of admission
Neuro	Sedation: Precedex Fentanyl Propofol Versed
Cardio	Vasopressors: Levophed Phenylephrine Epinephrine Vasopresine Amiodarone: Cardizem: Nifedipine:
Respiratory	Ventilator: NC VM NR Hi flow Bipap Ventilator : / / / Trach: Muscle relaxant: Rocuronium Nimbex
Endo	Insulin drip:
GU/Nephrology	IV Fluids: NS LR D5 NS D5 LR D5 0.45% NS
Heme	FOLEY
ID	LINE: RIJ LIJ RF LF SHYLEY Midline PICC line
GI	FEEDINGS: NGT PEG
General measure Dvt Proph PPI proph Diet	

NAME: _____

Admited for: _____

_____

_____

☐ DM2 HTN HLD	☐ Chest XRAy: PNA atelectasia
☐ CAD stent CABG	☐ EKG nsr rbbb Lbbb AFib
☐ Anemia	☐ Echo
☐ AF xarelto warfarin eliquis PM	☐ CTH
☐ Asthma COPD ltot	☐ CTA
☐ BPH Prostate Ca	☐ CTP
☐ BMI	☐ CT Chest
☐ CHF EF ICD	☐ CT abdomen
☐ CKD ESRD tts wf PC AVF	☐ Cardiac Cath
☐ CVA residual weakness R L TIA	☐ Carotid doppler
☐ Dementia Aleimer Parkinson	☐ MRI brain
☐ Depression anxiety	☐ Trop ☐ BNP
☐ Hep C Hep B	☐ US dupplex
☐ Hypothyroism	☐ US abdomen
☐ HIV HART	☐ UA ☐ UCx ☐ Sputum cx
☐ Ca	☐ BCx ☐ WCx
☐ RA	☐ UTOX
☐ Seizure	☐ ERCP
☐ MDRO	☐ MRCP
☐ Allergy: PNC, ASA,	

☐ ETOH Drug Smoker	
☐ Wound care ☐ SW	
☐ Speach ☐ PT	
☐ Dvt prophylaxis	
☐ Hep drip	

ABX	PAIN
☐ Acyclovir	☐ Gabapentin
☐ Augmentin	☐ Hydromorphone
☐ Azitromycin	☐ Methadone
☐ Aztreonam	☐ Morphine
☐ Cefaclor	☐ Percocet /Oxycodone
☐ Cefepime	☐ Toradol
☐ Cefdenir	☐ Tramadol
☐ Ceftri xone	☐ Tylenol
☐ Ciprofloxacine	
☐ Clindamycin	**GI**
☐ Daptomycin	☐ Docusate / Senna
☐ Doxycicline	☐ Famotidine
☐ Levofloxacin	☐ Lactulose
☐ Flagyl	☐ Octeotride
☐ Fluconazol	☐ Propanolol
☐ Meropenem	☐ Pantoprazole /ome/eso/famotidine
☐ Valacyclovir	☐ Regian Zofran
☐ Vancomycin	☐ Rifaximin
☐ Zosyn	☐ Spironolactone
☐ Zivox	

HTN	PULMONAR
☐ Amlodipine	☐ Albuterol
☐ Amiodarone	☐ Ipatropium
☐ Cardiazem	☐ Budesonine
☐ Carvedilol	☐ Levalbuterol
☐ Clonidine	☐ Prednisone
☐ Entresto	☐ Solumedrol
☐ Lisinopril Enalapril	☐ Dexamethasone
☐ HCTZ	
☐ Hydralazine	**CARDIO**
☐ Labetolol	☐ Asa
☐ Lasix bumex	☐ Eliquis
☐ Lisinopril	☐ Lipitor /simvastatin/
☐ Losartan	☐ Lovenox
☐ Metolazone	☐ Plavix
☐ Metop T	☐ Ranexa
☐ Metop S	☐ Warfarin
☐ Nifedipine	☐ Xarelto
☐ Verapamil	

DM2	
☐ Glargine	
☐ Iss	**PSYCH**
☐ Lispro	☐ Ati an
☐ Calcium	☐ Benadryl
☐ Fe	☐ Carbidopa/Levodopa
☐ FA B1 B12 C zinc	☐ Citalopram
☐ Vit D	☐ Clonazepam
☐ MVT	☐ Donezepil

THYROID	URO	NEURO
☐ Levothyroxine	☐ Finasteride	☐ Acid valproic
☐ Methymazole	☐ Tamsulosin	☐ Keppra
☐ Propylthiouracil		☐ Phenytoin

PSYCH (cont.)
☐ Librium
☐ Mirtazapine
☐ Quetiapine
☐ Sertraline   Paroxetine
☐ Trazodone
☐ Xanax

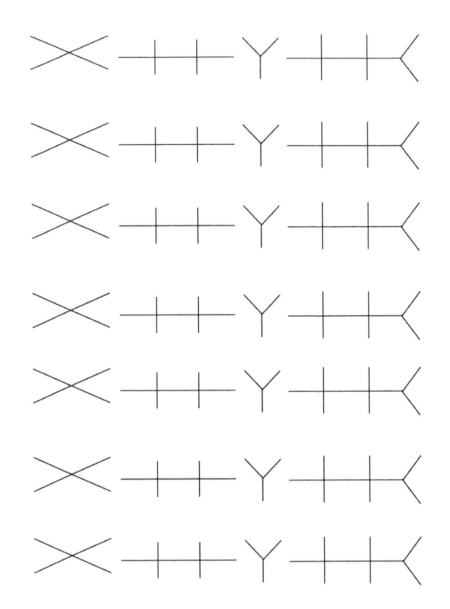

Name	Reason of admission
Neuro	Sedation: Precedex Fentanyl Propofol Versed
Cardio	Vasopressors: Levophed Phenylephrine Epinephrine Vasopresine Amiodarone: Cardizem: Nifedipine:
Respiratory	Ventilator: NC VM NR Hi flow Bipap Ventilator : / / / Trach: Muscle relaxant: Rocuronium Nimbex
Endo	Insulin drip:
GU/Nephrology	IV Fluids: NS LR D5 NS D5 LR D5 0.45% NS
Heme	FOLEY
ID	LINE: RIJ LIJ RF LF SHYLEY Midline PICC line
GI	FEEDINGS: NGT PEG
General measure	
Dvt Proph PPI proph Diet	

COPD EXACERBATION

Increase sputum production or purulent sputum, cough, dyspnea

Meds	Exam	Oxygen Therapy
Albuterol NBZ Q4h (SABA) ⎫ Or levalbuterol NBZ Q4h if ↑ HR ⎬ Ipratropium NBZ Q4h hours (LAMA) ⎭ Prednisone 40 mg POQD x 5 days ⎫ taper Or solumedrol 60-125 mg IV q 6 hx5d ⎭ Azithromycin 500 mg QD x 5 days ⎫ If not If ↑ Qtc Doxiciclyne 100mg Q12h x 7days ⎬ PNA If PNA add Ceftri xone 1 g QD	Pulsioximeter C xray ABG Sputum culture EKG ⎫ Trops ⎬ for differenntial BNP ⎭ diagnosis	Maintain O2 89-92% or keep PaO2 > 60 mmHg Use Bipap if PH 7.25- 7.30, CO2 >55 Wean BIPAP if ph> 7.32 Note: Use GOLD CLASSIFICATION

CHF EXACERBATION

Dyspnea, fatigue, jugular enous distenntion,ypotension, S3 rales edema

* BNP <100, may r/o CHF ex, * BNP > 400, possible Dx of CHF ex

CHFr reduced ejection fraction if EF < 40 %

Meds	Exam	Recommendations
• Furosemide loading dose 40- 100mg. • Maintainance dose has to be equal or exceed home dose. • Change to Bumex if furosemide Is at the highest dose. • Hypotension: dopamine, dobutamine or milrinone	• Troponin • CBC • CMP • Lipid profile • Liver funtion • TSH • BNP • EKG • CXray • ECHO • Xray: Acute pulmonary Edema	• ICD if <30% • Don't start or increase dose of B blockers until patient is hemodinamically stable • Monitor input and output • Avoid NSAID • O2 if O2 sat <90 or PaO2 < 60 • EHMRG score for mortality • Framingham HF criteria for diagnosis

Made in the USA
Las Vegas, NV
14 February 2022

43910172R00115